LES EAUX DE LA MÉMOIRE

Du même auteur

Ferveurs, poèmes, Éditions Saint-Germain-des-Prés, Paris, 1972.

Exorcisme du rêve, poèmes, Éditions Saint-Germain-des-Prés, Paris, 1974.

Fruit de la passion, roman, Éditions Trois, Laval, octobre 1988.

Tu en parleras... et après ?, théâtre, Éditions Trois, Laval, avril 1989.

Choix de poèmes, édition et présentation de *Océan, reprends-moi*, de Georgette Gaucher Rosenberger, préface de Marie-Claire Blais, Éditions Trois, Laval, 1987.

Pièges, roman, Éditions du Boréal, Montréal, 1992.

Participaton à : *Homosexualités et tolérance sociale*, sous la direction de Louis Richard et Marie-Thérèse Séguin, Éditions d'Acadie, Moncton, 1988.

Participation à : *Polytechnique, six décembre*, sous la direction de Louise Mallette et Marie Chalouh, Éditions du Remue-Ménage, Montréal, 1990.

Gloria Escomel

LES EAUX DE LA MÉMOIRE

contes et nouvelles

Boréal

Les Éditions du Boréal sont inscrites au Programme
de subvention globale du Conseil des Arts du Canada.

Conception graphique : Gianni Caccia
Photo de la couverture : Gloria Escomel

Diffusion au Canada : Dimedia
Distribution en Europe : Les Éditions du Seuil

Données de catalogage avant publication (Canada)
Escomel, Gloria
   Les Eaux de la mémoire
   ISBN 2-89052-633-X
   I. Titre.
PS8559.S36E28 1994   C843' .54   C94-940929-4
PS9559.S36E28 1994
PQ3919.2.E82E28 1994

EN GUISE DE PRÉFACE :
JE MULTIPLE

Je, flamboiement pourpre, en ces moments intenses de désir, de création ou de colère où je me sens projetée hors de moi ou si enfouie en moi que *je* me perd de vue, *je* qui me dévisage, complice et menaçant, creusant la distance entre moi et lui qui va prendre la parole, me la prendre, à moi, pur émoi tâtonnant qui dérive en quête du sens que *je* possède et qui me dépossède.

Je, de plus en plus lointain dans la fascination du double, *je* qui devient autre à mesure que *je* cesse d'être ce que j'étais, à mesure que le temps passe et qu'une lente transformation s'opère — érosion, dirait ce *je* que j'abandonne —, me faisant délaisser l'image lointaine mais qui s'était imposée dans la lumineuse clarté des fantasmes originels. Jeu que l'on ne peut réduire à cette dualité entre le moi et le *je*. Qui des deux, personne ou personnage, lance le cri d'alarme qui retentit en ce jour où la réalité veut coûte que coûte transpercer le mirage, imposer son éclairage réducteur au Réel qui ne peut être que ce Tout dans lequel je baigne depuis l'enfance, sans distance avec mon jeu ?

Du plus lointain de mes souvenirs monte le rêve de cette métamorphose : *je* était l'autre que j'allais devenir, pour peu que l'ange m'assiste, *je* était l'ange qui prenait place à mes côtés, rusant avec le démon qui m'habitait. « *Demonio* » disait ma mère ; *daimôn*, épelait le livre de mythologie ; à la fois génie, esprit malin, mais pas méchant car le Mal était au-dessus de mes forces d'enfant en proie au devenir de celui que *je* serait lorsque le temps de la métamorphose adviendrait, comme de celle que j'évacuais, limitée et fragile.

Je était l'autre qui dépassait les limites du réel amenuisé de la femme et même de l'homme, mortel, incapable de cristalliser son rêve, étreignant les contraintes de l'espace et du temps.

Je, aimanté par la vie inépuisable et ses merveilles que la passion enfantait : chimères, rivières, licornes, torrents, anges, femmes parfumées qui traversaient mes rêves adolescents. Mais la métamorphose n'était jamais venue. *Je* devenait l'autre que j'aurais pu être, qui restait en arrière, bondissait, me montrant la route qu'il aurait suivie et que je suivais, par bonds dans le rêve, inducteur du réel, aménageant les contraintes de la vie, les effaçant d'un grand geste de son aile, d'elle, mythe et réalité.

« *Je* est un autre », oui. La pensée schizophrène domine poètes et écrivains, peintres et sculpteurs. Des musiciens, il ne m'est pas possible de savoir quelle part d'eux-mêmes s'empare d'eux quand fait irruption la symphonie qui les emporte, quelle part se distancie d'eux et les dépossède. Mais il m'est connaissable, parfois jusqu'à la nausée, ce jeu de la distance qui s'empare de moi lorsque le *je* profond s'exprime, que je ne reconnais pas toujours, parce que je suis habitée par la hantise du double, du multiple, du polyvalent, de l'ubiquité, délire foisonnant qui essaie de rompre mes limites et me renvoie souvent au sol, terrassée par l'ange dans un combat épuisant, mais qui me redonne des forces.

Mais quel *je* est l'autre, et l'autre, moi ? C'est à tâtons à travers les rêves, les fantasmes, les fantômes de mes pensées et de mes mirages que j'essaie de dégager la matière première à partir de laquelle je sculpterai ma réalité, mains fermes glissant sur la glaise onctueuse, la caressant comme elles caresseraient un corps, dégageant des formes du bloc indifférencié de la tourbe compacte. C'est à tâtons que j'identifie les traits esquissés d'un visage aveugle, moi qui n'ai jamais eu d'autre visage que celui que *je* projette dans un avenir qui ne cesse de s'assimiler au présent sans avoir tenu serment.

Qui suis-je, qui prétends m'identifier à cette première personne — la première à avoir été, l'avènement, l'épiphanie rêvée, l'alpha rejoignant l'oméga des rêves ? Mais le mot personne lui-même distancie l'être du devenir. *Je* n'est pas la personne que l'on connaît, que les autres connaissent, ou alors elle n'est que l'ébauche imparfaite, caricaturale, de cet idéal jamais atteint, *je* est au cœur inconnaissable de l'être profond, composé de ses strates successives qui le rendent aussi multiple, divisé à l'infini des moments successifs d'une existence qui s'est éparpillée dans la vie et dans les rêves.

Mais parce que le double encore me limite, le *je* doit être multiple et foisonnant, se créer en mille lieux à l'abri du réel, en mille situations, en mille *moi* virtuels et inaccomplis, sinon à travers ces esquisses dont la vie ne peut rendre compte.

L'écriture devient alors cette cristallisation des mirages et des fantasmes, des réalités que l'on ne peut atteindre dans les limites de nos possibilités circonscrites en une seule existence. Et ces *moi* qui deviennent personnages ou narratrices dérivent pendant l'espace-temps du délire ou de la création, fût-elle la plus délibérée ; dès qu'un de ces *moi* prend la parole, je me perds de vue, *je* devient cet autre absent, cette autre absente, cette absence abstraite, entre parenthèses. Le *je* reste soumis à la sotte réalité de muscles et de mouvements, de pupilles qui se dilatent ou se contractent selon l'éclairage sur la feuille qui se noircit, tandis qu'un univers m'enrobe, m'enveloppe, me soustrait à mon quotidien pour me plonger dans un autre, non moins insignifiant, peut-être, mais où le sens peut être créé par moi, par ce *je* tellement oblitéré par la conscience qu'il va piéger mon inconscient.

Perpétuelle démultiplication, jeu de miroirs où l'écriture me renvoie des reflets qui m'égarent : qui suis-je et qu'ai-je été pour que je cherche ainsi mon destin dans le tien, *je* qui es autre et pourtant moi, que je ne peux tutoyer que parce qu'une longue familiarité entre toi et moi me dit qu'à l'image correspond un reflet aussi fuyant que cette autre, ici, qui écrit ces lignes et trace avec elles un labyrinthe où mieux se perdre. Et cette ombre qui est en moi encore et toujours, dont je ne peux me libérer, n'est-elle pas le *je* profond qui se terre au centre du labyrinthe, que l'on n'atteint qu'au moment de la libération, de la révélation finale, néant ou transfiguration ?

Qui parle ? Mais au fond qu'importe ? Perpétuellement autre puisque perpétuellement en quête de soi ou d'autre chose — absolu, idéal, chimère ou réalité —, le *je* est un mystère que l'on ne peut atteindre.

L'essentiel ? Non pas l'identité, non, qui nous circonscrit par besoin de nous nommer et de nous laisser emprisonner dans cette image. Non pas la réalité, qui se confond trop souvent avec l'image que je m'en fais et qui me rend, elle aussi, prisonnière. L'essentiel ? La passion, sans doute, cette intensité qui donne à l'écriture, à l'idéal, à l'amour, un sens tout provisoire où le *moi* et le *je* en symbiose *nous* donnent un aperçu fulgurant du monde.

I

DIEUX RETORS

JE N'AI JAMAIS EU DE VISAGE

La vie m'écartèle entre quatre chevaux fous ; lorsque j'arrive au paroxysme, mes membres cèdent et mon corps mutilé tombe au fond de l'abîme. Un torrent vivifiant alors me ressuscite et péniblement, je réussis à remonter la paroi rocheuse jusqu'à la surface. Sur la plaine, l'herbe est douce à ma douleur et j'ai envie de m'y vautrer, de vivre et de jouir.

La rosée m'électrise et je m'exalte : je chante le ciel bleu, la joie, l'amour, la mer, le sable, unifiée dans l'extase de vivre.

Cela dure un temps, mes passions se multiplient, diverses et contraires. C'est alors que je vois surgir encore, au galop, du fin fond d'une plaine livide, mes quatre chevaux fous. Mes fantômes eux-mêmes accrochent mes chevilles et mes poignets aux licols. Je m'entends hurler de peur. J'appelle Dieu de toutes mes forces, mais Dieu ne répond pas. Oubliant mes résurrections, je me sens perdue de nouveau : rien, non rien ne pourra me sauver de l'écartèlement, quoi que je fasse. Tout recommencera toujours de la sorte, me conduisant vers cette plaine où surgiront les chevaux fous que j'aime et qui me déchireront au-dessus de l'abîme.

* * *

Un cavalier solitaire est arrivé ce soir des plaines. Sa cape était grise de la poussière des nuages et son cheval frissonnait des baisers de la pluie. Le soleil ne s'était pas encore couché et teintait de sang les plaines infinies. Un eucalyptus laissait bruire doucement ses feuilles bleutées sous la brise et dans le vieil hôtel colonial perdu dans la campagne au milieu d'un bouquet d'arbres, la paix hésitait.

Pourtant, il me sembla, en voyant le cavalier descendre de sa monture, qu'une de mes heures cruciales était venue.

— Je te cherchais, dit-il.

Il était très grand, très lointain. Je sus qu'il s'appelait Illio. Il avait une tige d'eucalyptus à la main.

* * *

Ne me demandez pas qui parle. Je n'en sais rien. Suis-je porte-parole de voix tues depuis longtemps dans ce brouillard de cendres qui m'entoure ? Suis-je morte sans le savoir ? L'ai-je aimé, l'ai-je connu, ce cavalier silencieux mort de faim, de soif et d'amour pour son cheval noir ? Moi, que peuplent des rêves — ou des souvenirs étranges ? Moi, qui n'avais pas de forme ? Je n'ai jamais eu de visage ; mes traits sont de sable et d'eau. Mais vaut-il mieux avoir un visage que d'être enchaînée par lui ?

ILLIO

La lune avait disparu du ciel depuis quarante nuits. Le chat sauvage et le chat-huant, frères après tout, tinrent conseil.

— Allons trouver le sorcier, dit le chat sauvage ; et le chat-huant l'approuva. Ils allèrent tous deux jusqu'à la clairière.

Là, assis auprès d'un feu léger, scrutant les étoiles, méditait Illio. Le chat-huant vint se percher sur son épaule.

— Frère, la lune manque à notre firmament et sa lueur ne vient plus signaler nos pas dans l'ombre. Nous ne pouvons plus interroger l'eau des puits et des rivières ; les arbres se languissent et les marées s'ennuient. Les chiens ne distinguent plus les revenants des vivants et, dans les domaines nocturnes, tout est confusion.

— Je sais, répondit Illio. Mon cheval lui-même ne veut plus boire...

—Toi seul peux la ramener, trancha le chat sauvage.

Illio se leva.

— Je partirai : il est des lieux où je trouverai peut-être la réponse. Mais si jamais je ne revenais pas sous cette forme, souvenez-vous que nous sommes tous enceints d'un cadavre dont nous devons accoucher tôt ou tard.

— Soit, reconnut le chat-huant. Mais homme ou fantôme, tu nous révéleras ce que tu as appris. Fixons notre rencontre à la troisième pierre blanche du moulin brûlé, d'ici la vie d'un *teru-teru*.

Illio partit sans un mot, son cheval trottant l'amble. Le chat sauvage et le chat-huant le virent se diriger vers la plaine et regagnèrent la forêt.

Dès le lendemain, le chat-huant appela les *terus* : « Qui de vous a fait éclore des œufs aujourd'hui ? »

— Moi, répondit l'un des oiseaux, mais seul un oisillon a survécu.

— Tu nous tiendras au courant de la vie de ton fils, lui demanda le chat-huant.

Pendant ce temps-là, Illio, au pas de son cheval noir, avançait vers un but inconnu. Le jour, il subissait l'ardeur sauvage du soleil ; la nuit, il mettait pied au bord de quelque ruisseau, mais son cheval ne buvait toujours pas : il avait le mal de lune. Tristement, Illio se couchait à ses côtés, mangeait légèrement, prenait sa guitare et laissait s'élever des notes mélancoliques vers le ciel étoilé.

Sa solitude était immense. Depuis longtemps déjà, il ne pouvait communiquer avec ses semblables, qu'il ne comprenait plus. Les femmes qu'il recherchait s'écartaient de lui avec méfiance. Rayo, son cheval, restait son seul compagnon ; mais depuis l'absence de la lune, ils ne pouvaient plus se parler. Malgré d'étranges connaissances qui lui donnaient du monde une vision différente, l'amour de la terre l'enracinait ; il savait que pour atteindre les mers éternelles, il fallait qu'il en sublime l'attirance, mais il n'en avait pas la force. Les rêves d'Illio hantaient tous les récifs anciens sans que répondent ses fantômes. Obscurément, il sentait qu'il marchait vers son destin, la déchirure de lui-même, prisonnier de sa dualité. Et les jours se succédaient aux nuits sans qu'il atteigne la poste interstellaire.

Combien de temps dura ce voyage ? Illio n'en fit pas le calcul. Mais un jour, son cheval épuisé, assoiffé, se coucha pour mourir. Illio pleura le seul être qu'il aimait encore au monde. Il le dépouilla de sa selle et s'étendit une dernière fois contre son flanc. Les yeux grands ouverts, brûlés par le soleil et par les larmes, il attendit la nuit en caressant la longue crinière noire. Puis, toute la nuit, scrutant le scintillement des étoiles, il espéra le jour. L'aube pointait lorsqu'il se sentit investi de l'esprit de Rayo. Une vigueur nouvelle l'envahit. Le cadavre du cheval, dans sa phosphorescence, lui semblait un rêve, à présent. Il n'hésita plus. Il pressentait l'épreuve qui l'attendait.

Au loin, les brouillards se nébulisaient en masses sombres, le ciel se chargeait des lourdeurs de l'orage et les nuages se condensaient en un cône de tornade. Illio marcha vers le tourbillon qui l'appelait, entra dans la zone des forces, y pénétra, sans lutter contre les vents déchaînés, se plaça au cœur de la trombe, attendant les éclairs.

Lorsqu'il fut aux limites de sa résistance et qu'il y consentit, la foudre s'abattit sur lui.

Dans la clairière où il avait eu coutume de chanter auprès d'un feu léger, le *teru* appela le chat-huant ; le chat sauvage vint avec lui.

* * *

— Mon fils est mort, leur annonça-t-il.

— Une vie de *teru* s'est donc achevée ! s'écria le chat sauvage. Il est temps de partir.

À la troisième pierre blanche près du moulin brûlé, le lieu semblait désert car, sans la lune, les animaux ne perçoivent pas les fantômes. Lorsque celui d'Illio parla, le chat sauvage et le chat-huant sursautèrent.

— Ainsi tu es mort..., se reprit le chat-huant.

— Pour le moment, oui, répondit Illio. Mais la mort a délivré les trois êtres qui se battaient en moi. Vous nous reverrez bientôt.

— Sous quelle forme ? À quels signes te reconnaîtrons-nous ?

— Sous forme d'homme, de femme et d'enfant mutant. Nos yeux, sans doute, notre seul miroir, vous feront signe.

— Et la lune ? demanda le chat sauvage.

— Nous ne la voyions plus car elle s'était éteinte en nous. Mais une autre lune se prépare qui ne saurait rester invisible, même aux yeux qui se ferment à sa lumière. Une lune nouvelle, aussi puissante qu'un soleil. Il faudra la reconnaître : elle seule nous sauvera de la sécheresse de nos vies.

Ensemble, ils attendirent la nuit. Et dans le ciel étoilé, une lune éclatante brilla. Le chat sauvage et le chat-huant purent voir la phosphorescence d'Illio s'éloigner dans la plaine, sur le dos de son cheval, aussi mort et vivant que lui.

PATRICE

L'enfant était assis à même la terre et goûtait au crépuscule de manière animale. Un chien, étendu à ses côtés, somnolait. La plaine azurée se perdait à l'infini. L'enfant clignait des yeux pour fixer le soleil couchant. Il sentait affluer en lui l'odeur de la terre, de l'herbe et des eucalyptus. Il aimait ces parfums qui s'ancraient en lui et vivait cette heure intensément, épousant le bruissement de l'arbre et l'âpre douceur de la terre sous son pied nu.

Le cri mélancolique d'un *bicho feo*, l'oiseau jaune des crépuscules, lui semblait provenir du fond de lui-même, ainsi que le chant monotone des cigales et tous les bruits de la campagne au repos.

Il **était**. Cette curieuse sensation d'être l'emplissait tout entier. Les choses, les animaux, la nature l'habitaient. Il faisait corps avec eux de façon indissoluble. Tout ce qui l'entourait « était lui », il en subissait les répercussions jusqu'en son propre corps, dans une profonde intimité avec l'univers.

La terre, les pierres, les arbres, les rivières, tout cela « donnait prise ». L'enfant avait goûté à la saveur de la terre, il connaissait l'âcre goût des pierres sèches et chaudes de soleil, qui sucent la salive et donnent un violent plaisir, rauque et apaisant, lorsqu'on les avale pour combler le vide qui surgit en soi quand une chose est trop belle et qu'on ne peut l'absorber comme un caillou.

Il prenait le tronc de l'eucalyptus à bras-le-corps jusqu'à l'enivrement de son parfum, mangeait ses feuilles et ses tiges dont la saveur était amère et pénétrante. Il aimait faire la sieste dans ce gros arbre au bois lisse. Plus solidement installé que dans son lit, il accrochait ses jambes et ses bras çà et là sur les branches, épousant leurs formes capricieuses avec élasticité, dans ces positions étranges et distendues des statuettes indiennes.

L'enfant connaissait aussi la présence tentaculaire des figuiers abandonnés, les taches collantes du lait des feuilles coupées, la vertigineuse sensation de chute lorsqu'il se laissait glisser sur le toboggan des branches emmêlées, prodigieusement résistantes dans leur souplesse. Il recherchait aussi avec avidité la saveur des rivières : mousses, lichens, racines et bois moisis à l'arrière-goût d'humidité verdâtre et de terre noire.

Oui, l'enfant avait prise sur cet univers-là. Il

ne parlait guère : jusqu'à présent, les paroles lui avaient semblé inutiles ; elles coulaient autour de lui, bruissement superflu. Elles n'avaient pas le même sens pour les adultes et pour lui ; impuissant à rétablir un vocabulaire universel, il se taisait. D'ailleurs, il n'avait rien à dire. Voir, sentir, goûter et vivre lui suffisaient.

Parfois, devant un spectacle trop beau ou une sensation trop forte, il éprouvait un malaise équivalant à la faim ou à un excès d'air et ne pouvait qu'avaler des feuilles ou de la terre pour apaiser cette angoisse, ou que crier, tout seul, dans la campagne. Mais parler ? Il lui eut fallu des mots pour dire l'indicible.

Les gens lui échappaient. Tout ce qui ne pouvait pas être pris dans ses mains, comme un caillou ; étreint comme un tronc d'arbre ou le cou d'un cheval ; ce qui ne le pénétrait pas, comme l'émerveillement ; tout ce qui n'immergeait pas, comme l'eau ou le ciel nocturne, n'accédait pas à lui.

Les questions qu'il avait à poser aux pierres et aux ossements blanchis des animaux morts ne s'exprimaient pas par le langage. Il prenait les objets, les palpait ; ses doigts courts et rugueux les parcouraient, semblaient les modeler, leur donner vie, leur sculpter un visage. L'os devenait dague ; l'articulation, la garde ; le moindre trou devenait œil qui le fixait implacablement. L'enfant soutenait le regard et sentait s'élargir sa connaissance. Il lui semblait, à chaque prise de conscience avec les minéraux, les bois, les ossements, en comprendre davantage sur le monde.

Souvent, collé au sol, à plat ventre, l'oreille contre l'herbe, il écoutait les battements de son cœur résonner contre la terre, amplifiés comme les sonorités du tam-tam les nuits de carnaval dans les plaines. Sa peur accélérait les pulsations de son sang, et des visions hétéroclites dansaient devant ses paupières fermées, brutales, colorées, vertigineuses. Alors il hurlait pour rompre le bruit sorcier qui semblait sourdre de la terre. Le paysage s'évanouissait autour de lui. Il en oubliait sa respiration tant son souffle devenait régulier à mesure qu'il s'apaisait.

Il se retournait sur le dos. Son corps s'allégeait, il ne sentait plus le contact de la terre, tout entier qu'il était tourné vers le ciel. Il lui semblait monter comme un ballon et s'exaspérait de voir que le bleu succédait au bleu, et qu'à mesure qu'il semblait s'élever, persistait cet élément qui n'était ni de la terre ni de l'eau, qui n'offrait pas de résistance au regard, mais l'enrobait dans le diaphane. Cet élément éthéré où il ne pouvait que flotter, pour peu qu'il n'y prenne garde, le pénétrait comme une inspiration profonde qui se prolongerait sans possibilité d'expiration.

Il se rejetait face contre terre, respirait très

fort, par saccades, afin d'expulser le vide qui l'avait imprégné et qui lui laissait un malaise tenant de la douleur et de la faim. Le tam-tam du cœur qui savait si bien chanter le sol se mêlait à son odeur et à celle de l'herbe. Les bruits revenaient, les sons rassurants de la terre, le vent dans le feuillage de l'eucalyptus, le galop d'un cheval, le grincement d'un puits.

Son chien, que son immobilité finissait toujours par agacer, venait lui lécher le visage, et l'enfant se laissait faire, béat, lampant parfois lui aussi d'un coup de langue opportun le poil lisse et soyeux du museau de l'animal : les baisers des humains l'avaient toujours laissé sur sa soif. Lorsqu'il léchait son chien, il aimait avoir dans la bouche le goût de son pelage. Aussi reniflait-il son cheval longuement, enlaçant son cou ; il avait doublement prise sur lui, par l'odeur et par l'étreinte.

Ce calme crépuscule s'avérait le dernier d'une vie sur laquelle il maintenait réellement prise. Demain, l'enfant serait projeté vers le monde insaisissable des sentiments, comme si celui des sensations s'était révélé épuisable.

Lorsque, la nuit tombée, il entra dans le grand salon, il découvrit, assise très à son aise dans le fauteuil de cuir vert, face à la cheminée, une très belle femme qui parlait avec sa mère. Immédiatement il fut immobilisé, transpercé par le regard si bleu qui se posait sur lui. Ces yeux le fascinèrent :

ils avaient la couleur d'un caillou bleu entrevu un matin dans la rivière, sous un rayon de soleil, et qui avait disparu, emporté par le courant lorsqu'il avait voulu s'en saisir ; ils avaient la profondeur vertigineuse du ciel qui l'enrobait dans l'angoissant diaphane.

Autour de ces yeux, une peau qui avait la couleur et le luisant du miel, avec quelques plis, ébauches de rides qui ressemblaient aux plis du miel coulant sur lui-même.

— On m'a dit que tu t'appelles Patrice, mon petit, n'est-ce pas ?

Question inutile, puisqu'elle contient sa réponse. L'enfant contemple la bouche qui a proféré ces paroles vaines : la lèvre inférieure est pulpeuse comme une mandarine ; on aurait envie de glisser l'index sur sa douceur.

— Quel âge as-tu, Patrice ?

Question oiseuse, classiquement adulte, à laquelle il n'a jamais su répondre. Il est très vieux, n'a pas d'âge, ne sait pas à quoi sert l'âge, sinon à distinguer les gens pourvus d'autorité de ceux qui doivent obéir. Mais les yeux de la femme se plissent quand elle sourit et cela dessine autour d'eux des lignes formant comme une queue de poisson dans le miel de sa peau. Le caillou disparu était peut-être un poisson bleu qui lui a glissé entre les doigts ; ces yeux aussi vont se dérober. D'angoisse, il ferme les siens. Les trilles d'un oiseau, par la fenêtre ouverte, attirent aussitôt son regard. Et cet oiseau invisible, qui donne vie au sombre salon et au bleu qui le fixe, peuple subitement toute l'atmosphère de Patrice. Face à l'immédiat de cette sensation, le reste se dissipe. Mais les lèvres de mandarine s'agitent encore, une voix très douce se superpose au chant de l'oiseau.

— Tu n'es pas très studieux, m'a-t-on dit ? Et moi, sais-tu qui je suis ? Celle qui dorénavant t'apprendra à connaître et aimer toutes les choses qu'un petit garçon de ton âge devrait savoir. Nous serons très amis, Patrice, n'est-ce pas ?

Pourquoi ne se taisait-elle pas pour écouter le chant qui donnait vie à ses yeux de caillou, de poisson bleu dans la rivière ?

Comme si elle eut entendu la pensée de l'enfant, Geneviève se tut. Et dans le silence qui suivit, elle perçut par hasard le chant de l'oiseau, comprit que c'était lui que Patrice écoutait. Le vieux cliché de l'enfant sauvage se profila dans son esprit. Elle crut qu'il aimait le chant de l'oiseau. Elle ne comprit pas que, pour lui, aimer ou pas n'avait pas de sens. L'oiseau imprégnait Patrice. Très vite, l'équivoque naquit. Geneviève s'éprit d'un cliché, et elle emprisonna l'enfant d'une subite tendresse. Comme Patrice envers les objets et les animaux, Geneviève ressentait le besoin d'une prise sur les êtres ; du moment où elle sentit naître son affection, elle s'appropria l'enfant, aima un miracle qui ne se débattit pas.

Les jours glissèrent, semant le désarroi dans l'âme de Patrice. Lorsque Geneviève souriait, il se demandait comment posséder ce sourire, comment le tenir entre ses mains comme un objet palpable ; lorsque le regard indéfinissable se posait sur lui, il aurait voulu le toucher comme les feuilles bleues de l'eucalyptus et, surtout, le perpétuer. Le sourire, le regard étaient à la merci du hasard : le visage pouvait devenir sérieux d'une minute à l'autre, se détourner, ou le scintillement du regard s'éteindre, se perdre à jamais, comme s'était perdu le caillou bleu dans la rivière.

Un jour, Geneviève passa une main distraite sur la nuque de Patrice. Un frisson bizarre parcourut l'enfant, comme ceux qui surgissaient sous la caresse du soleil après un trop long bain dans la rivière. Mais cette main glissait sur son cou : il n'avait prise ni sur le rayon ni sur le frisson. Il saisit au vol la main, la pressa entre ses doigts, la malaxant comme de l'argile ; mais la main était indocile, elle n'épousait pas la paume comme le fait la boue, elle bougeait, serrait les doigts de l'enfant, se tortillait, c'était agaçant. Patrice secoua la main, se débarrassant de ce qui grouillait comme une poignée de petits poissons.

Une tristesse immense le gagna. Il lui sembla traverser une rivière en équilibre sur un tronc d'arbre. Mais il n'y avait ni tronc d'arbre ni rivière et s'il venait à tomber, il ne reconnaîtrait pas le

choc rassurant de l'eau, mais une sensation inconnue qui l'effraierait. Il nageait à contre-courant
dans le vide, et Geneviève était à ses côtés, mais il
ne pouvait atteindre son corps. C'était exaspérant :
si au moins elle avait pu devenir tronc d'arbre !
D'un brusque élan, il la saisit à bras-le-corps et la
pressa de toutes ses forces contre lui. Mais ce n'était
pas la même sensation compacte. Sa blouse de soie
tremblait à la brise sous l'auréole de ses cheveux
blond cendré, sa chair était tiède et tendre, le soleil
l'illuminait de telle sorte qu'elle semblait flotter en
relief sur le ciel, image de ces rêves qui disparaissent
soudain lorsqu'on croit les atteindre.

D'une secousse, l'enfant se dégagea et courut à
l'eucalyptus qu'il étreignit violemment : du moins il
avait prise sur l'arbre.

Dès lors, il se refusa avec sauvagerie. Geneviève, qui avait pris cet élan pour de la tendresse,
ne comprenait plus rien à son attitude. Ce visage
inexpressif qu'il lui opposait pendant les heures des
leçons, cette inattention à tous ses propos, ce
silence, ces fuites à travers la campagne, ces tête-
à-tête obstinés avec son cheval et son chien, tout
dans l'attitude de l'enfant la déroutait. Une semaine
passa ainsi.

* * *

L'homme arriva au crépuscule. De son balcon,
Geneviève aperçut d'abord le large poncho voleter

sur le cheval noir qui avançait à petit trot vers la cour centrale. Puis elle détailla le beau visage sous de longues mèches de cheveux bruns, le teint bronzé, les yeux félins qui se posèrent sur elle, puis sur Patrice, assis sous son eucalyptus ; elle crut voir entre eux un regard de reconnaissance. Cet homme, cet enfant, hâlés par le même soleil, se ressemblaient étrangement, en cette minute crépusculaire. L'homme lui tourna le dos et dut sourire à l'enfant. Mais Geneviève ne vit que le sourire de Patrice, reflet d'un autre sourire à travers un miroir caché. L'atmosphère ouatée, somatique, de ce long crépuscule d'été la pénétra soudain. Le parfum nuancé des jasmins et des glycines, les couleurs violentes dont le soleil teintait les nuages, l'ambiance amortie de la cour, où cet homme à présent descendait de son cheval, tout s'inscrivait en elle sous le signe de l'irréparable. Le cavalier leva alors vers elle un regard profondément serein. Les cigales entreprirent leur chant monotone, et Geneviève sentit déferler en elle l'angoisse du déjà vécu. Au zénith de son angoisse pointait une sensation aiguë, le regret d'une vie à la surface des choses, l'impression d'une urgence. Ce regard serein la menaçait. Elle en détourna le sien.

Après le dîner, elle s'installa de nouveau sur le balcon, un livre à la main. Dans la cour, le nomade, assis sur une selle de cheval, arrachait quelques notes d'une guitare, *mi fa sol*, *mi fa sol*, toujours les mêmes, qui s'égrenaient dans l'air tiède de la nuit. Un peu à l'écart sous son eucalyptus, Patrice caressait son chien. Lorsque l'homme cessa de jouer, il s'approcha de lui et lui demanda sa guitare. Il ne savait pas jouer : ce n'étaient que notes disparates et inattendues qui montaient vers son balcon. Mais que se détachait-il d'elles, quel charme insolite et troublant ? Menacée, Geneviève haussa les épaules et alla se coucher. Elle ne prit pas garde à l'épais sommeil qui la fit tout aussitôt sombrer.

— Comment t'appelle-t-on ? demanda l'homme.

— Patrice, et toi ?

— Je suis Illio.

Le silence s'installa entre ces deux êtres qui venaient de se retrouver, car il y avait entre eux autre chose que des paroles : un regard, comme une mémoire. Quand Geneviève l'appela, Patrice sauta sur ses pieds et, comme il allait s'éloigner, Illio murmura : « C'est en toi-même qu'elle t'appelle ; elle dort. Elle dormira jusqu'à ta mort, bientôt. »

Patrice frissonna et s'élança vers la chambre de Geneviève qu'il réveilla à peine en se jetant dans ses bras. Lorsque l'étreinte affectueuse se referma sur lui, il la comprit prison. Mais si grande était la douceur de cet abandon qu'il y resta jusqu'au sommeil.

Dès lors, Patrice alla de Geneviève à Illio, sans comprendre la fascination qui le liait à ces deux univers si distincts et familiers.

Illio chantait la nuit en jouant de la guitare et sa présence peuplait le silence de la campagne. Sa vie palpitait en celle de Patrice, faisait corps en lui. Lorsque son regard se posait sur lui, c'était comme un courant d'électricité. Illio ne parlait pas, mais son mutisme était lourd de choses vivantes : d'un geste, comme s'il les lui offrait, il désignait une fleur ou un oiseau, les dotant d'un rayonnement particulier qui vibrait en Patrice et s'y intégrait.

Geneviève passait ses heures libres à lire. Elle se perdait en des fables enlisées sous les sables du temps. Elle écrivait aussi — Patrice avait surpris ses carnets — des lignes inégales qui lui demandaient parfois de longues minutes de réflexion ou qui s'inscrivaient précipitamment, comme à son insu. Quand elle s'égarait ainsi, son regard s'éclairait, une passion l'animait, qui la mettait hors de portée. Parfois, elle relisait à voix basse ses mots étranges, raturait, reprenait sa litanie ; et une mélodie prégnante et mystérieuse naissait de sa gorge. Quand ses carnets restaient dans les tiroirs, Geneviève semblait errer en quête d'un souvenir, scrutait Patrice et Illio avec avidité, s'en détournait brusquement, avec douleur.

— Elle a déjà souffert, murmura un jour Illio, mais combien devra-t-elle souffrir encore pour écrire ce qu'elle veut !

Patrice s'étonna. Le sort d'Illio, qui commande aux chevaux et aux oiseaux, lui semblait plus authentique que celui d'avoir pouvoir sur les lettres parce que l'on a souffert.

— Détrompe-toi, sourit Illio. Les paroles de Geneviève nous donnent un sens et nous perpétueront. Si l'amour ne la noie pas... Et toi, Patrice, que veux-tu faire de ta vie ?

Étrange question qu'il laissa sans réponse.

Un jour, Patrice avait surpris une curieuse scène entre Illio et Geneviève qui, pourtant, semblaient rester sur leurs gardes l'un envers l'autre. Illio jouait un air étrange à la guitare, et Geneviève s'était rapprochée. À voix basse, elle avait chanté quelques strophes d'une chanson qui épousait l'air d'Illio, et parlait d'une lune absente ; puis elle avait saisi sa main afin qu'il ne joue plus. Ensuite elle avait murmuré :

— Pour différents que nous soyons, je nous pressens une même origine.

— Tu ne te trompes pas, répondit Illio en entrecroisant leurs doigts. Il fallait que tu le reconnaisses.

Elle se serra dans ses bras, et il la retint pour lui dire quelque chose à l'oreille, qui la fit reculer et le regarder avec effroi.

— Comment peux-tu prétendre savoir une telle chose ?

— La mémoire m'est restée de ma première mort.

Elle le regarda comme on regarde les fous.

— Alors, pourquoi ces paroles sur une lune absente ? répliqua Illio.

— Je ne sais pas, répondit Geneviève, égarée, ce n'était qu'un poème...

— Les images peuvent cerner des mémoires anciennes. Méfie-toi des savoirs que tu peux mettre à nu parmi les décombres que tu portes.

Geneviève acquiesça en fronçant les sourcils et le quitta, perplexe. Elle resta troublée durant toute la soirée.

Illio possédait un *teru*, l'oiseau des plaines, qui dormait à l'intérieur de sa guitare. Un soir, le *teru* disparut et ne revint pas. L'homme et l'enfant le cherchèrent longuement et comme ils revenaient à la maison, Illio dit : « Je n'ai que trop tardé ici. » Patrice le regarda, inquiet, mais l'homme se renferma dans son mutisme. D'ailleurs Geneviève les attendait, anxieuse. « Où étais-tu ? » demanda-t-elle à l'enfant.

— Je cherchais le *teru* d'Illio.

— Patrice...

Les paroles coulaient comme un bruissement de branches. Il la contemplait : ces cheveux blonds avec des reflets d'or et de cendre, ce hâle transparent, ces yeux profondément bleus lui semblaient insaisissables, tandis que le visage d'Illio lui inspirait une tranquille possession. Il devrait choisir entre les deux et il s'y refusait de toutes ses forces.

La déroute devait se lire dans son regard, car Geneviève l'attira contre elle tout en continuant à parler. L'oreille collée à la gorge de Geneviève,

Patrice sentait les vibrations des paroles monter de sa poitrine et résonner en la sienne propre. Ce contact compact avec l'insaisissable le réconforta. Il sentit naître une plénitude, semblable à celle des pierres sèches et chaudes de soleil, à la violence d'une poignée de feuilles avalées. L'engourdissement du sommeil le gagna dans la tiédeur des bras refermés sur lui, un sommeil envahissant et hirsute, imagé, où dansaient vertigineusement mille silhouettes familières parmi lesquelles il se débattait sans angoisse. Le visage d'Illio se leva avant qu'il ne sombre dans le trou noir et cria quelque chose que l'enfant ne comprit pas.

Dans la plaine, un *teru* volait, s'éloignant vers l'horizon.

Lorsque le lendemain matin Patrice courut le rejoindre, Illio tissait une cordelette en peau de cheval.

— Elle est pour toi. Tu la garderas lorsque je serai parti. Je ne crois pourtant pas aux amulettes : elles n'ont de pouvoir que par la foi que nous leur portons. Qu'elle te relie à moi, qui suis une part de toi-même, prématurément rencontrée, parce que j'avais besoin de savoir. Méfie-toi de Geneviève. Votre rencontre aussi est prématurée. Du moins, tant qu'elle ne se montrera pas prête à assumer son destin. Et elle ne le peut encore : elle a choisi des domaines de la vie si longs à épuiser ! Elle n'est que le mirage qui provoquera ta recherche future.

Souviens-toi de cela, même si mes paroles te semblent absurdes. Lorsque tu te trouveras devant l'absurde, sache-toi placé face à des données incomplètes d'un savoir mal transmis ou trop tôt reçu.

Patrice ne retenait que deux choses infiniment douloureuses : le départ d'Illio, la méfiance envers Geneviève, à laquelle il s'était finalement attaché. Et quand Illio enfourcha son cheval et s'éloigna, Patrice se jeta contre le sol, en proie à une terrible douleur, comme si on lui arrachait les entrailles. Il s'accrocha aux touffes d'herbe encore empreintes de rosée, appuya sa joue contre cette douceur, mordit la terre : il lui fallait avaler pour apaiser un vide terrifiant. Il resta ainsi longtemps, jusqu'à ce que son cœur se remit à battre au rythme normal et qu'il sente les pulsations de la vie au sein de la terre. Alors, Illio se détacha du fond de lui-même. Mais toute la journée il fut triste, distrait, et Geneviève aussi. Le soir ils se retrouvèrent dans la chambre de Patrice, comme deux orphelins.

— Je vais te lire une histoire, décida Geneviève en prenant un gros livre. « Il fut un temps où les hommes et les lutins s'aimaient et se côtoyaient, mais une nuit de pleine lune, un homme découvrit le trésor que cachaient les lutins : il y avait là de l'or et des pierreries, qu'il emporta avec lui. Les lutins, qui étaient puissants, firent alors disparaître la lune... Et les hommes durent se mettre à sa recherche, oubliant le trésor volé. »

Elle ne lisait plus, mais inventait ; Patrice rêvait que les lutins arrivaient sur la terre portés par des rayons lunaires, et quelque chose s'éveillait en lui.

Il était dans une forêt d'arbres aux troncs déments. Par quel corps regardait-il ? Seuls sa présence et son regard subsistaient. Des rayons de lune à travers le feuillage donnaient aux lieux un éclairage vert d'une poignante réalité. Un de ces rayons le toucha, lui redonnant son corps. Il vit alors un cavalier arriver, amenant avec lui une femme captive qu'il reconnut aussitôt. Il s'élança pour la délivrer. Il volait. L'espace flotta sous son corps avec des soubresauts convulsifs. Puis ce fut le choc contre le cavalier, qu'il reconnut aussi. Une épée surgit entre ses mains, ondulée comme la foudre, qu'il maniait avec agilité. Mais il s'épuisait à ce combat, chaque coup porté le blessant en son propre corps. La sueur imprégnait ses vêtements. Il se débattait, mais il lui semblait de plus en plus flotter dans un monde irréel. Enfin, Geneviève apparut dans ce marasme, droite, lumineuse, bleue. L'enfant se jeta contre elle pour la saisir, mais il passa au travers de l'image comme au travers d'une fumée. Il se trouvait devant un sentier tracé dans la forêt, qui montait vers le ciel étoilé, comme un rayon de lune. Alors il hurla, pris de l'ancienne angoisse devant le ciel infini. C'était une suffocation par excès de vide, la panique du néant, de l'immatérialité, et le hurlement était sa seule ressource.

Un corps le retint dans sa chute, plaqué contre sa peau, chaud, palpitant, parfumé. Ses bras, enfin, sur le bord du vertige, pouvaient se refermer sur quelque chose, le serrer jusqu'à l'éclatement, avant l'explosion du vide. Geneviève avait entendu le cri de cauchemar et serrait dans ses bras l'enfant jailli du gouffre.

À partir de cette nuit, la vie, qui auparavant avait paru si nette, où la seule prise de contact constituait une présence et une preuve d'existence, devenait, par saccades, immatérielle. Patrice brouillait tout, tâtonnait entre plusieurs univers. L'insaisissable le harcelait. Il négligea bientôt sa saine réaction de jadis, dictée par un instinct qui puise de la terre sa sève et son courant, ne s'accrocha plus au cou de son cheval ou au tronc de son eucalyptus. Il se désintéressa de la réalité immédiate : celle du rêve le fascinait. Mais il lui fallait avoir prise sur cet univers qui s'était mis à peupler ses nuits, le retenir avant qu'il ne lui échappe au petit matin, le situer dans l'espace. Il commit l'erreur de le chercher dans la même dimension, soumis aux mêmes lois de la pesanteur et de la matière. Il attendait le moment où des sentiers de la terre se détacherait en relief un autre sentier qui le conduirait au domaine qui le hantait depuis tant de nuits.

Cette obsession le poussa dehors, une nuit de pleine lune. Il lui fallait chercher le trait d'union, tout de suite, dans un monde qui était le sien. Il enfourcha son cheval. Son chien, que cette promenade enchantait, se mit à aboyer en suivant le galop du cheval.

Geneviève se réveilla en sursaut, vit la scène par la fenêtre et se lança à la poursuite de l'enfant, pressentant le malheur. Sur la plaine, elle hurla. Un *teru* surgit d'une motte d'herbes et le cheval, effrayé, rua soudain, projetant Patrice par-dessus sa tête. Avant de briser son vol, l'enfant vit, comme à travers un mirage, un petit sentier tracé dans la plaine, tel un rayon de lune. Mais ce ne fut qu'une seconde fulgurante. Sa tête s'écrasa contre un eucalyptus.

Geneviève parvint, haletante, jusqu'à lui et le serra dans ses bras. Patrice eut alors ce mot fatal : « Jamais te quitter, jamais ! » Et il mourut, l'étreignant comme un arbre, à bras-le-corps.

Dans la plaine, le *teru* poursuivait son vol vers l'horizon. Portant son propre cadavre dans ses bras, Geneviève entreprit le rigoureux chemin du retour. La vie se dissipait en elle comme un nuage d'oiseaux en débandade. Elle se souvenait. Elle était son passé tout entière en cette seconde suspendue dans le temps comme au bout d'un fil d'araignée, oscillant dangereusement dans l'espace mort.

ILLIA

Je rentre une fois de plus ayant bu jusqu'à l'écœurement, mais non jusqu'à l'ivresse. Une fois de plus je me laisse ramener à la maison par mon vieux cheval. Une fois de plus je rentre après avoir parcouru la campagne toute la journée, sans retrouver le chemin de ma mémoire. Une fois de plus, je reviens les mains vides, le cœur éteint, la mémoire absente.

Ce pays natal qui m'a rappelée me semble vide, lui aussi. Uniquement peuplé de mes souvenirs diffus qui s'évaporent face aux autres, plus récents. Comme à chaque retour, je regrette d'être partie sans savoir au juste pourquoi. Je me souviens. Mais de quoi, au juste ? Je suis revenue parce que je me souvenais, au point d'en perdre la tête. Chimère, mot qui ne signifie rien et recouvre mon impuissance.

Lorsque je suis sortie de la clinique, que je me suis vue libre de marcher vers où je voulais, j'ai d'abord compris que les raisons que je m'étais données pour étudier et pour écrire passaient par ces yeux qui m'observaient, semblaient darder en moi des racines imperceptibles et me rappeler au pays natal. Alors j'ai traversé les mers et je suis revenue, pour suivre jusqu'au bout un souvenir imprécis dont j'ignorais tout, telle une femme qui a perdu la mémoire reviendrait à la recherche de son passé.

Je voudrais qu'il pleuve. J'aime la pluie, messagère, m'apportant ces eaux que je n'ai jamais bues. Mais il ne pleuvra pas et cette nuit, ainsi que toutes les autres, je vais errer dans la maison, scrutant les murs, les tableaux, les photos, cherchant une trace palpable de ce que je suis revenue chercher ici. Contiennent-ils une réponse ? Cette nuit, comme toutes les autres nuits, je vais scruter le vide pour lui donner des formes de chair et de lumière, pour faire taire la nuit, lui faire accoucher sa vision.

Il ne peut y avoir qu'un visage de femme autour de ces yeux bleus qui m'obsèdent. Je suis libre. Libre d'être folle jusqu'à découvrir la vérité de ma hantise. Et je poursuis tous les jours les sentiers de mon enfance errante en ces plaines endeuillées. Je longe, à cheval, les bords de la rivière. Je ne sais pourquoi cette rivière m'obsède ainsi. Sans doute conduit-elle quelque part, si je remonte le courant ? J'ai déjà pris tous les sentiers qui partaient de ses rives. Aucun ne m'a menée nulle part. La végétation s'est sans doute refermée sur celui qu'il me fallait prendre. J'ai essayé, aujourd'hui, de faire avancer mon cheval en aval du courant. Mais il y a eu un moment où il a rebroussé chemin. Alors j'ai sauté à l'eau et j'ai nagé, mais, soudain, j'ai été saisie par la panique et j'ai fait demi-tour, avec des envies lancinantes de pleurer. Je suis remontée sur mon cheval qui m'attendait à gué et je suis allée boire. Jusqu'à l'écœurement, mais non jusqu'à l'ivresse.

* * *

La pluie est enfin venue ce soir. Nous avons eu des journées bien lourdes, la sécheresse devenait menaçante. La rivière, qui n'est pas bien profonde, laissait voir son fond constellé de cailloux ronds, blancs, gris, bleutés, noirs. Enfant, je jouais avec eux. Cet après-midi je les ai longuement contemplés, comme si leur disposition pouvait me livrer un message. Lorsque l'orage a éclaté, je me suis laissé submerger dans la jouissance des trombes d'eau qui crépitaient sur mes épaules, dans la prescience d'un événement. Quand la foudre s'est abattue quelque part, sur un arbre de la plaine, l'image complète de la femme bleue s'est formée sous mes yeux ; puis elle a fondu, comme un mirage. Alors j'ai pris peur et je suis revenue au galop vers la maison, entrevoyant des sentiers illusoires qui se détachaient de la terre.

Je suis restée longtemps sur le seuil, assise sur

l'herbe mouillée, à recevoir sur le corps cette bénédiction de l'eau, me soûlant de l'orage, me laissant transpercer par cette pluie que j'aime comme une messagère. Car elle est vraiment messagère. Les souvenirs ont commencé à affluer après ma vision de la foudre.

J'avais dix ans. Elle vivait là-bas, près des ruines du moulin brûlé, dans une petite maison au bout de la rivière. On disait qu'elle était devenue folle parce que son fils était mort. On disait aussi qu'elle n'avait jamais eu de fils. Une fois je l'avais vue : elle portait un pendentif serti d'une pierre bleue. Elle s'était accrochée à ma botte, en me disant, suppliante : « Tu vas tomber, mon petit, descends, tu vas tomber... » Je me souviens seulement de ses yeux bleus, si tendres et interrogateurs, lorsqu'elle me demandait : « Qui es-tu, mon petit, pour tant lui ressembler ? » Pourquoi ces yeux m'ont-ils autant obsédée ? Je ne suis plus jamais revenue vers cette petite maison au bord de la rivière.

* * *

Ce matin, un enfant est venu me chercher : pour tout message, il m'a remis un pendentif en aigue-marine et j'ai sauté sur mon cheval.

Elle m'attendait dehors, comme en l'unique jour. Elle n'avait presque pas vieilli en ces douze ans passés. Je suis descendue de ma monture et elle m'a prise par la main pour me conduire jusqu'à sa maison. Je l'ai suivie, dans le trouble de ce mystère. Ses yeux étaient aussi bleus qu'en ma mémoire. Elle m'a fait entrer dans sa chambre et m'étendre à ses côtés sur son lit. Ce fut comme un plongeon dans le tout. Je flottais en une plénitude heureuse où toutes les certitudes me semblaient acquises, comme si je venais de retrouver une identité perdue.

Pourquoi avoir alors bougé ? Pourquoi avoir ouvert les yeux ? Car celle qui gisait sur ce lit, immobile contre moi, portait sur son visage la marque des années. À son cou, le pendentif, que j'aurais juré dans ma poche. Et elle était morte.

Je me suis relevée et j'ai contemplé ces yeux refermés sur leur mystère. Une des quêtes de ma vie s'achevait sur une énigme.

Revenir en aval de la légende, en aval de la mémoire, là où naissent les mythes qui fascinent nos vies. Comprendre les nostalgies qu'ils forgent, les avenirs qu'ils tracent, comme autant de routes qui bifurquent et se recoupent à chaque rencontre.

Cette femme était morte après m'avoir fait connaître un sentiment de complétude qui ne m'abandonnait plus. Quelque chose d'elle était passé en moi en ce moment mystérieux de la mort où l'âme se transfuse. Un jour, peut-être, ses souvenirs seront miens, ses pas entreront dans mes pas ;

je poursuivrai à sa place, sans céder la mienne, une voie que je n'entrevois pas encore.

* * *

Je suis un cavalier nomade, un enfant qui n'a su passer des sensations aux sentiments, une femme trop sentimentale. Je suis, les suis et les porte. La vie, devant moi, s'ouvre, multiple, comme un trésor.

II

MORTS ET MÉTAMORPHOSES

LE PIANO

Elle me demandait souvent : « Où s'en va l'âme des enfants mort-nés ? » ; et je rêvais qu'elle se transfuse à d'autres âmes, à d'autres êtres nés du même sang. Elle m'embrassait alors, parce qu'elle voulait y croire, qu'il lui plaisait de penser que cet enfant qu'elle avait perdu sept ans avant ma naissance lui était rendu à travers moi.

Mais elle me disait aussi : « Et si son âme avait rejoint la mienne ? » Nous discutions alors de métempsycoses, mais cette discussion née de sa tristesse aboutissait à de tels enchevêtrements métaphysiques que nous finissions par éclater de rire, et elle retournait à son piano.

Je l'écoutais jouer pendant des heures, animal malhabile que j'étais à faire chanter trois notes sur un clavier, et je lui lançais parfois comme un défi : « Comment peux-tu croire à des transfusions d'âme, alors que tu n'as pas pu me transmettre ton don, à travers ton sang ? »

Une sorte de vertige s'emparait de moi, quand je proférais cette plaisanterie, comme un doute sacrilège, et je me collais à son corps maternel, vieillissant, goûtant la tiédeur de ce contact qui déversait en chaque fibre de mon corps pétrie par ses entrailles d'innombrables souvenirs.

« Tu ne crois pas qu'on puisse se créer une âme, à force de le vouloir ? » lui avais-je demandé un jour.

Mais en mère très chrétienne, elle m'avait répondu que seul Dieu avait ce privilège. Pourtant, elle était restée pensive, cette fois-là, tandis que ses mains faisaient renaître une valse de Chopin dont je ne me lassais pas. Je revois encore sur sa tempe palpiter doucement cette petite veine bleue que je ne reverrai plus.

Le piano est arrivé ce matin, seul meuble que j'aie demandé, seul meuble que j'aie désiré de violente et superstitieuse passion. Il est là, dans le salon ; sa silhouette mystérieuse est close sur le plus vieux mystère.

J'avais senti sa mort se déverser en moi, à travers les continents qui avaient fini par nous séparer, les continents que j'avais traversés pour fuir cet amour qui ne pouvait accepter les miens. N'étais-je pas née de cette chair que mangeait le cancer ? De ce sang qui se corrompait en ses veines ? N'avais-je pas reçu, bien avant les télégrammes, en ma propre chair, l'avertissement de sa douleur finale ? N'avais-je pas senti, dans l'avion qui me conduisait à elle, l'apaisement de la morphine qu'on lui injectait enfin à l'hôpital ? N'y avait-il pas toujours eu, entre nous, depuis toujours, un lien plus étonnant que celui de la seule tendresse ?

Le piano qu'elle seule savait faire vibrer, désormais silencieux, semble posséder toutes les réponses. L'ouvrir, poser mes mains sur le clavier, mes mains si semblables aux siennes, et pourtant si malhabiles... Depuis sa mort, le seul souvenir de ce piano m'a terrifiée. La seule idée de ce geste magique et sacrilège m'a toujours empêchée de poser un seul doigt sur les touches d'ivoire jauni.

Aujourd'hui, la panique sacrilège bat son comble. Depuis combien d'années pourtant, ai-je souhaité la présence de ce piano pour rompre ma solitude, combler son absence irrémédiable ? Depuis combien de temps ma mère morte me fait-elle signe à travers ce piano, resté dans la vieille maison jusqu'à sa fermeture, là-bas, dans l'autre volet de ce continent ?

Mes mains frôlent ce clavier, un frisson me secoue. Et la valse brillante s'élève soudain dans la nuit, légère, agile sous mes doigts déliés, les étonnants accords s'égrènent dans le salon, et je joue, et je vis et des souvenirs morts jaillissent en moi qui ressuscite...

LE RUBAN DE MŒBIUS

L'aube s'était levée sans que je m'en aperçoive dans les dernières fièvres du travail. Quand j'avais enfin levé les yeux et classé mes papiers, j'avais été surprise et frustrée par la lumière qui bleuissait le ciel. Ivre de sommeil, j'avais espéré avoir encore quelques heures devant moi pour pouvoir dormir. Mais comme d'habitude, le travail avait mangé ma vie.

En titubant, j'allai me faire du café et ouvrir la porte qui donnait sur le jardin. L'odeur de l'herbe vint m'assaillir, avec le flot de souvenirs qui lui étaient associés, particulièrement imagés après cette nuit sans rêves, si vivaces que je fus littéralement transportée dans l'espace et le temps, jusqu'en cette clairière où, jadis, j'avais vécu un de ces instants où la conscience est brusquement illuminée d'une plénitude absolue, d'une réjouissance totale de l'être appréhendant la vie dans sa permanence, un de ces instants où la pérennité écrase la fugacité du temps, nous restitue la mémoire globale de notre vie. Quel mystérieux mécanisme se met alors en branle ? Malgré la fascination qu'il a exercé sur Proust, il n'a jamais été élucidé.

En cet instant, toute fatigue lavée, j'étais entièrement parfum de gazon. Ma conscience, emplie de ce parfum végétal, avait été brusquement transportée en arrière, arrachée du présent par la puissance d'une sensation qui avait éveillé tout un univers.

Ainsi que les poupées gigognes s'encastrent les unes dans les autres, ces jalons du temps s'emboîtaient, se reflétaient et me renvoyaient une impression d'éternité.

Ma vie, de plus en plus laborieuse, ne me donnait pas un instant de répit ni de rêverie. Avec voracité, maintenant, mon esprit dévorait le temps qui lui était rendu, se réappropriait ses souvenirs, ses nostalgies, ses projets, ses désirs et ses rêves. Recommencer ! Organiser autrement ces activités qui nous consument, cette vie qui nous file entre les doigts, comme l'eau d'une source que nous possédons d'autant moins si nous refermons nos mains sur elle, plus fugitive qu'un oiseau. Reprendre ma vie en ce point du temps où une sensation de plénitude m'avait rendu la vie, avec ses illusions et ses espoirs !

J'avançais sur le gazon, le cœur battant, comme si la vie devait revenir dans toute son intensité. Il y avait dans le minuscule jardin un petit coin où j'avais planté des sapins, quelques années plus tôt, et disposé une de ces pierres que je cueille ici et là, comme d'autres des fleurs ; moi seule, je le crains, trouvais à ce coin-ci une harmonie particulière. L'herbe, que la tondeuse ne pouvait atteindre, était plus haute près des sapins. Jadis, mon chien venait s'y étendre, à la recherche de fraîcheur, y laissant un nuage de longs poils blancs et roux. Depuis plus d'un an qu'il était mort, sans doute n'en restait-il plus trace. Trois ans plus tôt, la femme que j'avais le plus longtemps aimée — que je n'avais su retenir — avait planté là quelques touffes de myosotis entre deux roches de granit rose rapportées d'un lointain voyage. Autour de ces souvenirs, des cascades de sensations me bouleversaient.

Je me couchai sur l'herbe, tout humide encore de rosée que le soleil naissant faisait scintiller et je restai là, le nez sur le gazon frais, me laissant porter par ces courants de la mémoire, les yeux fixés sur les brins d'herbe que ma presbytie rendait flous et démesurés, comme les tiges qui bordaient la clairière de jadis. Entre elles, je distinguai quelques fils blancs sur de minuscules taches de myosotis. Cela pouvait bien n'être qu'une illusion, mais qu'importait : ces traces du chien qui avait partagé dix-huit ans de ma vie, des fleurs plantées par des mains aimées toute ma vie, me rassuraient par leur permanence.

Il y a, dans les sous-bois, une vie lilliputienne grouillante et mystérieuse, qu'il me plaît de contempler, à plat ventre sur l'herbe, où je m'absorbe, ravie. Particulièrement en cette clairière où je viens tous les jours d'été me noyer dans une orgie de parfums : troncs de sapins, écorces de bouleaux, senteurs de mousse et de lichens, terre mouillée, humus du temps où l'on s'enfonce comme en ces sentiers dans le bois, en boucles qui serpentent et nous ramènent souvent au point de départ, rubans de Mœbius, symboles de l'éternel retour en des dimensions parallèles.

Je respirais profondément et le temps semblait s'engrouffrer en ma poitrine avec la lumière miroitant sur les brins d'herbe, où je distinguais la moindre gouttelette de rosée retenue par les fibrilles de leurs nervures. J'étais dans la clairière et j'étais la clairière, le parfum du vent et du temps rendu, et pourtant je me souvenais du jardin où j'étais allée m'écraser, ivre de sommeil et de fatigue, et des myosotis timides à l'ombre du granit rose, et du poil blanc et roux de mon chien, je m'en souvenais dans la nostalgie de la vie que j'aurais pu y vivre si je m'étais mieux organisée pour que le travail ne me dévore pas. Ces nostalgies peuvent être fécondes si nous maîtrisons la durée.

Et je sentais que c'était ce qui pouvait m'arriver, à mesure que je m'extrayais de la clairière magique et que mes yeux s'habituaient à l'éclairage crépusculaire du jardin, qui dorait les brins d'herbe, le myosotis et le granit rose, les pupilles ambrées du chien, qui, yeux mi-clos, pattes croisées sur mes mains ouvertes, me dévisageait de son regard de sphinx, dressant de temps à autre les oreilles à l'appel patient de celle qui habitait encore la maison et à qui je demanderais tout à l'heure de ne plus jamais la quitter.

LE PERSONNAGE

Pierre avait toujours eu peur des atterrissages. Il mâchait rageusement sa gomme pour se déboucher les oreilles, rangeait machinalement livres et revues dans sa serviette, mettait ses lunettes de soleil, les enlevait pour bâiller, essuyer ses yeux, les remettait, se mouchait, enfouissait son mouchoir au fond de sa poche, le serrait convulsivement... Il sentait croître la peur, une peur absurde, irrationnelle ; des mots sourdaient de lui, qu'il marmottait sans leur prêter attention. « Le temps n'a pas passé pour nos âmes égarées... nos âmes égarées... z'âmes z'égarées... z'âmes... zamezégarées... » Il eut un rire nerveux. Zamezégarées : cela lui rappelait quelque chose, ou quelqu'un.

Qui donc ai-je oublié de prévenir de mon arrivée ? se demanda-t-il soudain, avec angoisse. Pourquoi cette angoisse ?

L'avion toucha brutalement le sol, rebondit mollement et le freinage forcé commença. Pierre, calé dans son fauteuil, poings crispés, pensa que si l'appareil venait à s'écraser au bout de la course, l'ami oublié ignorerait sa mort.

La peur, une vieille peur, se liquéfiait dans ses veines, bousculait son cœur, mouillait ses paumes, s'accrochait aux barbes d'un bon dieu d'enfance. Mais l'avion finit par s'immobiliser. Pierre oublia sa panique d'où allait naître une prière grotesque, puisqu'il ne croyait en aucun dieu. Une dernière fois, il murmura « zamezégarées » avant de cracher sa gomme dans un cendrier plein de mégots, se moucha énergiquement, ajusta ses lunettes et se mit à siffloter.

Fafou ! C'était elle qu'il avait oublié de prévenir ! C'était elle qui lui avait signalé ce « zamezégarées », cette dissonance dans un poème, en lui psalmodiant le vers, narquoise. Pierre sentit l'attendrissement fondre sur lui ou plutôt, le faire fondre de tendresse éblouie, tant le sourire narquois de Fafou lui était apparu nettement, comme une photo, ce sourire câlin où l'ironie était coquine et complice. En ce bref instant, il comprit que c'était elle par-dessus tout qu'il avait désiré revoir, à Paris. Son oubli prit alors une dimension de tragique rétrospectif : s'il était mort au cours de l'atterrissage, elle n'aurait jamais su combien son besoin de la revoir était intense !

Puis un soulagement sans borne d'être encore en vie déferle en lui, avec le plaisir de sentir le souffle de sa respiration devenu profond et régulier, la joie de savoir qu'il est encore plein de désirs, d'envies de rire et d'aimer. Il a laissé le Pierre austère à Montréal, accroché à quelque patère, avec son manteau d'hiver et celui de sa femme triste. Instinctivement, il retrouve la dégaine de l'étudiant, la mèche sur l'œil, le sourire goguenard aux lèvres, qu'il mordille sensuellement. Il pense à Fafou, si délicieusement folle et libre, tragique aussi, sortie d'une ambiance de Carco, d'un poème d'Apollinaire, d'un rêve éclaté de Pierrot.

« Mon Pierrot gourmand », disait-elle, en l'embrassant. Un long désir vibrant monte en lui.

* * *

Il prendra la voiture louée, il arrivera à Paris, rêvant de débauches anciennes. Il se souviendra. Ce flot d'images qui ne me quittent plus ne sont en lui que depuis que le prénom de Fafou a été placé entre ses lèvres. C'est pourtant un peu vrai qu'au cours de ce voyage-là je n'avais pas pensé, pour la première fois, à lui écrire pour lui demander si je pourrais la voir. Mais je n'y ai pas davantage pensé à l'atterrissage, pour la bonne raison que cette fois-là j'ai été malade à m'en évanouir, que j'ai repris conscience à côté d'une hôtesse au parfum ambré et que j'étais encore sous le choc du décalage entre ce parfum et le visage rébarbatif de celle qui le portait...

Je n'ai pensé à Fafou que plusieurs jours plus tard, en attendant mon neveu devant une agence de voyages, près de Clichy. Et aussitôt je suis entré dans ce café pour téléphoner.

Mais je préfère revenir à Pierre, qui est encore sur la route, plein de joie à l'idée de ces retrouvailles possibles avec Fafou. Il a devant lui une heure ou deux encore, peut-être plus. Il lui faut le temps d'arriver à Paris, de se balader un peu, refaire connaissance, se trouver un petit hôtel bon marché, s'installer... Il n'a pas, lui, de famille qui l'attend à Paris.

Lui, l'amertume l'a quitté depuis longtemps. Celle-ci, du moins. Il est trop habitué à l'autre, celle qui ternit sa vie quotidienne, la mienne, que j'étais venu oublier à Paris.

Oui, Fafou l'avait aussi fait souffrir monstrueusement. Même lorsqu'elle lui disait : « Et tu crois que c'est Frantz qui a le meilleur rôle ? Tu ne me vois tout de même pas, mon amour, t'appeler papa ? Laisse les grands jouer à la famille : tu restes mon grand fou, mon amour, mon Pierrot gourmand... »

« Je te donnerai des rendez-vous au coin des rues perdues, disait-elle, nous irons nous aimer dans des mansardes... »

Pierre avait vingt ans. Non : vingt et un. Il avait joué et perdu. Mais il y a quinze ans de cela. C'était sa première maîtresse... Avec quelques années de plus, il l'aurait peut-être emporté sur l'autre, père légitime ou pas. Maintenant, le voilà enchaîné à sa femme, à la tristesse morne de la vie besogneuse. Mais il n'a pas oublié Fafou, sa fantaisie, son pathétique appétit de vivre, sa sensualité débordante, exigeante, à la base de tout le drame.

Fafou. Voilà que j'étais prêt à oublier ce drame, à la réduire à cette seule fantaisie un peu superficielle, celle dont j'avais le plus besoin, et comme toutes les autres fois, voilà que je replonge en une tristesse stupéfiée.

« Ne me quitte pas ! » avais-je supplié, sans aucun orgueil. Déjà.

Chasser cette image, en rechercher d'autres qui se mêlent en ma mémoire à la saveur de son rouge à lèvres. « Et nos baisers mordus-sanglants faisaient pleurer nos fées marraines... » Apollinaire, sa passion. Prévert, Carco, ses engouements, toute cette ambiance.

Sa voix contre ma bouche noyait mes paroles sous les baisers, les morsures : « Mais je ne te quitte pas, j'épouse Frantz, à cause du bébé, c'est tout... »

Mes larmes donnaient à nos baisers un goût de sel, de profonde débâcle. Quel âge aura l'enfant, cet enfant qui me l'a volé ? Quinze ans... Déjà ? Le temps n'a peut-être pas passé pour Pierre, ni pour moi. Mais je peux le mesurer à l'âge de cet enfant. Fafou disait toujours « l'enfant ». Jamais « mon » enfant, ni le nôtre. Encore moins « le tien ».

* * *

Un mot de trop. Juste un mot de trop pour que se creuse la distance, irrémédiable. Non, cet enfant ne pouvait être le mien. Mais il aurait pu être celui de Pierre, ou de cet autre, là, qui feint de parler pour lui.

* * *

Pierre accélère, fonce vers Paris, heureux de la vitesse qui fait défiler le paysage au rythme de ses envies, du vent qui s'engouffre par les fenêtres ouvertes, le décoiffe, rafraîchit son torse humide, heureux surtout d'être seul dans la voiture, de s'imaginer Fafou à ses côtés, bientôt, bientôt, le temps d'arriver, de l'appeler...

Le fils de Frantz a donc quinze ans, pense-t-il, quel âge aurait eu l'autre bébé, celui qui n'était pas né, l'enfant condensé en quelques semaines d'espoir, dont elle ne pouvait parler sans larmes ? « Il aurait été si mignon, murmurait-elle, il aurait eu les yeux verts... » Pierre peut aujourd'hui se défendre de l'émotion d'hier, en se disant : « Non, mais quel mélo ! », cette phrase est inscrite en sa mémoire avec l'exacte intonation de la voix de Fafou, un peu rauque, un peu nasale, à travers les larmes et chaque fois qu'il l'entend, il en a la chair de poule, bien qu'à chaque fois, pour s'en défendre, il répète : « Non, mais quel mélo ! »

Comme Pierre, j'ai beau hausser les épaules, me passer la main sur le bras, je n'ai pu oublier cette phrase anodine et fleur bleue, si sobre pourtant, par rapport à sa souffrance. Pendant combien de nuits et de jours de regrets cette phrase n'est-elle pas venue résonner en moi ? Cet enfant-là, d'avant Frantz, cet enfant-là aurait pu nous réunir au lieu de nous séparer. Je voudrais pouvoir retrouver ma ferveur de l'époque, nos projets insensés, ce romantisme exacerbé, jusqu'à mon manque de réalisme qui me faisait entrevoir toutes choses aussi simplement : j'adoptais l'enfant, j'épousais la mère, mes parents ne pouvaient s'opposer à ce mariage, malgré mes vingt ans, puisque j'allais prétendre que l'enfant était le mien...

Me raccrocher à Pierre qui roule à tombeau ouvert sur un Paris de légende où gît sa jeunesse et l'oubli qu'il cherche, me dire qu'il est plus léger que moi, qu'il a été capable de surmonter la grisaille, capable de croire encore au bonheur, me dire que c'est lui qui pense à sa femme triste, se reprochant de n'avoir su la rendre heureuse, malgré toute sa bonne volonté, son amour des premières années, sa gaieté d'alors, son enthousiasme à vouloir s'occuper de son fils, ce voyou dont il craint aujourd'hui les mauvais coups, gâté par sa mère au point de l'obliger, lui, Pierre, à endosser le mauvais rôle, père fouettard, parâtre austère à trente-cinq ans, lui qui voulait demeurer l'éternel gamin enjoué de son adolescence, qui doit maintenant chasser son insouciance et sa fantaisie pour se raidir face à l'autre, de vingt ans son cadet, dont les fantaisies s'égarent en drogues de moins en moins innocentes, trafics douteux, insolences cruelles qui ont fini par gâcher sa vie et celle d'Adrienne en si peu d'années de mariage...

J'avais tout investi en elle, mon espoir et ma joie, mon amour aussi. Mais les quêtes sont finies. Mon devoir est auprès de cette femme amorphe, mais au milieu de cette mort lente, mes vacances étaient comme une bouffée d'air frais, comme pour Pierre, une indispensable bouffée de jeunesse qu'il vient chercher sur les lieux de son passé, de son premier amour. Fafou, Fafou et les autres, amis, anciennes maîtresses avec lesquelles il a gardé de bons rapports et qu'il compte revoir, se pardonnant d'avance ses premières infidélités à Adrienne.

Il arrivera bientôt à Paris, la circulation ralentit, il doit emprunter des autoroutes nouvelles, qu'il connaît mal, il ne sait pas très bien comment se rendre au quartier des Invalides, ne s'est pas décidé entre les Invalides et Montparnasse, d'ailleurs, tout ce qu'il sait s'estompe légèrement, même l'indicatif téléphonique de Fafou : Suffren ou Ségur, se demande-t-il, anxieux soudain, comme s'il ne savait pas que son nom figure encore au Bottin, qu'il y a plus de vingt-cinq ans que ses parents habitent le même appartement, ont le même numéro de téléphone...

Mais je veux qu'il roule encore et se perde à

travers les rues de ces quartiers où nous avons tant erré, certains soirs, que je suis revenu parcourir, ces dernières nuits, et où, probablement, il ira se promener, lui aussi, quelques pages plus tard.

Pierre, faux masque. Je me relis, et ce récit sonne faux, avec son style facile, truffé de clichés, mais comme cela banalise et apaise, ramène à la norme, et comme ce simple subterfuge me calme, de savoir qu'à travers Pierre, je vais retrouver Fafou, entendre sa voix au téléphone, me promener dans ces rues, comme il y a quinze ou seize ans, l'embrasser, respirer ce parfum musqué dont le nom m'échappe. À travers lui je pourrai me permettre d'affronter ces lambeaux du passé, les reconstituer, tenir à distance l'indicible douleur. Il est trop tôt sans doute pour sublimer autrement, pour faire du style... trop tôt... ou trop tard.

Et plonger dans ce passé sous le nom de Pierre ou le mien, quelle importance, au fond. C'est Fafou que je cherche, c'est là ma quête, ma reconquête devant laquelle je peux bien, pour une fois, m'effacer.

Pierre, donc, au volant de sa voiture, arrive, fou de joie à l'idée de te retrouver. Moi, j'arrivais terne et sans joie, voulant puiser auprès des témoins de ma jeunesse un peu de ce que j'avais été, pour me prouver que le temps n'avait pas passé, que rien encore n'était irrémédiable.

Te souviens-tu ? Peux-tu te souvenir de tout ce

qui nous unissait ? Où donc est ta mémoire, mon oiseau fou libéré de sa cage, où ? La cage et l'oiseau avaient-ils même souffle ? Si dense est le silence de cette nuit où je viens de créer Pierre, ma première imposture, que je me demande si ce faux respect ne te trahit pas davantage que tout le reste.

Mais voilà que par le truchement de ces quelques pages manuscrites, ce Pierre-là qui m'aide tant s'est mis à vivre dans mon esprit, à s'imposer entre moi et moi, toi et moi, imperceptiblement encore.

Il a mon visage, sans doute, celui que j'entrevois dans des miroirs ou des vitres qui me renvoient mon reflet, celui, peut-être, que tu regardais entre deux baisers, quoique je ne sache pas très bien à quoi ressemblait mon visage lorsqu'il était penché vers toi... Je ne revois que le tien, dont l'expression me troublait tellement en ces instants où la tendresse virait au désir, comme le rose au pourpre et que je voudrais pouvoir décrire, pour mieux m'en souvenir. Mais toi, quel visage contemplais-tu en ces minutes, pour me traiter d'ange pervers, d'enfant sauvage, de Pierrot gourmand ? Ta mémoire, Fafou, quelles images a-t-elle conservées de moi, à quels signes me reconnaîtras-tu, si par hasard, dans la rue, tu me retrouvais vieilli, dans quelques années ?

Pierre a fini par arriver dans ton quartier, le voilà qui cherche un hôtel et que j'hésite à lui en donner un, moi qui ne me souviens que d'un seul, un peu plus loin, sur la rue de Vaugirard, que je ne veux pas relier à toi...

Irrésistiblement, je sens qu'il cherche une cabine téléphonique alors que ce n'est pas de ce quartier-ci que j'ai voulu t'appeler, alors que j'aurais voulu qu'avant de t'appeler il ait le temps de vagabonder dans les rues, à la recherche de nos souvenirs... Irrésistiblement, il ira sans doute s'enfermer dans une cabine étroite qui sent le mégot, l'écouteur à la main, il entendra cette sonnerie grelottante qui éveillera tant de souvenirs heureux et malheureux... Mais c'étaient mes souvenirs ! Les miens, pas ceux de Pierre ! Et j'hésite à donner à ce zombi ces émotions trop intimes, ces sensations qui furent miennes, cette vie qui m'appartient encore, à moi et non à cet usurpateur qui endosse si facilement en quelques heures de rêverie quelques défroques de mon passé, ce passé où, pourtant, je ne voulais retrouver que nous deux. Et voilà que par sa faute, le fil ténu de mes sensations se brise et que je me perds dans les méandres de ce fleuve de mémoire où j'ai voulu m'aventurer à ta recherche, trop lâche pour partir seul.

C'est si loin, déjà, le domaine où je dois te retrouver et il y a si longtemps de cela !

J'aurais voulu évoquer le jour de notre rencontre, recommencer par le commencement, fixer les instantanés de notre amour, nous revoir comme à travers un film dont je serais à la fois le cameraman et la caméra vibrante, l'œil et l'acteur qui te tiendait dans ses bras, décrire les expressions, exhumer tes paroles, faire revivre ces quelques mois, ces quelques années qui t'ont contenue dans ma vie, mais les mots glissent comme des pieuvres, étouffent ce qu'ils saisissent. Certaines scène se superposent, dérivent, algues lentes dans les eaux de ma mémoire. Et cela m'est aussi insupportable que ma vanité à vouloir ressusciter par des mots le temps qui s'engouffre dans les charniers du vécu.

Mais à trop différer, les images s'enfuient. Quels que soient les mots, les laisser couler, me ramener vers ce grand amphi où nous nous sommes connus.

J'étais assis au centre et, à mes côtés, il y avait cette place vide où tu viendrais t'asseoir. Je t'ai vue venir par l'allée de droite, de ta démarche nonchalante, balancée. Ce sont là des clichés, je sais, mais est-ce ma faute s'il n'y a pas d'autres mots qui conviennent mieux à ta démarche, parce que dès le début j'ai associé des clichés à ce pas qui était le tien et qu'à présent ces mots-là collent comme glu au film de mes souvenirs, au point qu'ils en déclenchent les images pour moi seul dès que je les prononce, comme on prononcerait des mots de passe ? Tu me regardais, alors que je croyais tes yeux posés sur le fauteuil libre ; tu avais l'art de fixer ce qui semblait te distraire. « Tu permets ? », m'as-tu dit en prenant place. La gorge nouée par un désir brutal né de ton parfum, je n'avais pas répondu et tu t'étais assise avec un sourire amusé.

Pourquoi le nom de ce parfum m'échappe-t-il encore, alors que ma mémoire est envahie par lui et qu'en cet instant mes narines le hument encore, par-delà l'odeur de ma cigarette, si distinctement, à travers tant d'années ?

Je n'ose relire ces quelques lignes qu'il m'a fallu si longtemps pour écrire afin de pouvoir de nouveau être envahi tout entier par ce parfum : la scène de notre rencontre que je croyais avoir oubliée m'est revenue si totalement, elle aussi ! Je sais, oui, je sais que pour un tiers ces quelques mots ne pourront pas tout dire : maigre conquête des mots, qui comble une absence et ressuscite le temps.

Me voici de nouveau démuni, épuisé, vidé : que peut ce pauvre souvenir contre le Temps ? Que peut ma joie puérile, quand je retrouve le mot juste pour te décrire, que peut ma joie contre le Temps ? Tu avais l'air canaille, Fafou, canaille, oui, mais je sais que ce mot n'a de sens que pour moi, pour l'image de toi qu'il évoque en moi, ce sourcil levé, cet œil brun pervers mais enfantin et joueur, et je n'ose imaginer à quelles images un autre pourrait penser en lisant ce simple mot par lequel tu aimais bien que je te nomme : « canaille ». J'ai trop peur que cet autre manque de nuances, ne sache pas avec quelle tendresse je te nommais ainsi, qu'il ajoute à ton portrait déjà si incomplet les traits d'une autre femme, les préjugés qui peuvent naître de cet adjectif-cliché. Le moindre mot me fait trébucher, le moindre adjectif me fait peur, tandis qu'alors, dans notre innocence romanesque nous nous soûlions de ces clichés, nous rencontrions à travers eux, t'en souviens-tu, nous en amusions comme des enfants qui jouent avec des couleurs et des images toutes préparées d'avance, qu'il s'agissait de combiner seulement de manière insolite pour que nous les trouvions beaux : vers de quatre sous, paroles de chansons, midinettes fleur bleue panache et bohème folklorique, mais fous rires d'esprits cultivés, distance légère que les bienséances intellectuelles nous faisaient prendre aussi, le moment de fièvre tombée... Depuis trop longtemps, Fafou, canaille, oiseau fou, gitane, la fièvre est tombée qui ne me permet plus d'écrire aussi librement qu'alors ; les mots aujourd'hui me font peur, et pas seulement parce que je redoute un lecteur sévère, non, pas seulement pour cela... Et je voudrais hurler ma peur, ma peine, ton absence que les mots ne comblent pas, que rien ne peut plus effacer, sinon les mots pourraient te faire revivre aux yeux d'un tiers, telle que tu étais, exactement telle que tu étais et non pas telle qu'il pourrait t'imaginer si jamais les adjectifs que j'emploie n'ont pas pour lui la même saveur, la même musique...

Je dois même me méfier de moi, ne pas laisser des mots postérieurs s'adresser à toi. Tout à l'heure j'écrivais : oiseau fou, gitane et j'ai pensé « mon amour », failli l'écrire, raturé immédiatement les quelques lettres qui couraient à l'imposture. Jamais je ne t'ai appelée mon amour, et il aurait suffi que je pense à toi en ces termes pour que d'autres visages de femmes viennent insidieusement se superposer au tien comme des reflets...

Et je reviens à ce parfum ambré, à mon besoin de le décrire, alors qu'il me suffit de l'évoquer pour qu'il m'envahisse, me plonge en cette transe légère du désir... Esclave de l'écriture, qui ne peut recréer qu'en prenant des distances, pourquoi me force-t-il ce soir à circonscrire les émotions, les sensations, les événements, au lieu de me laisser emporter par cette marée mélancolique, où des souvenirs, parfois, émergent, vivaces comme le présent dont ils ont la limpidité, la nitescence ? Sans doute parce que revivre ne me suffit plus, qu'il faut aussi que tu revives avec moi.

Ces pages, pistes de décollage ou de décodage, ne suffisent pas : les signes me manquent. Il me semble aborder un langage inconnu. J'examine chaque mot qui te désigne, je le soupèse, le goûte, le respire, le prononce, le répète et l'écoute, le palpe, le hume et le rejette finalement, découragé. Ses vibrations ne te conviennent pas, ne semblent pas propices. Et pourtant, il ne me reste que les mots pour t'atteindre à nouveau, te ramener à moi d'aussi loin que tu sois, difficile reconquête.

Pourrais-je rejeter les mots, comme Orphée sa lyre pour mieux courir vers Eurydice, était-ce là son erreur ?

Comment te ramener à moi, sinon en éveillant dans ta mémoire tous les souvenirs qui te liaient à moi, que j'ai laissé s'atténuer, en ressuscitant l'émotion et non plus en l'évoquant pour moi seul ?

Te souviens-tu ? Dans ce grand amphithéâtre, lorsque je t'ai vue venir vers moi, j'aurais voulu être invisible pour mieux te regarder réagir naturellement. Mais j'étais plongé en moi-même te contemplant. Ce n'est donc pas de cela que tu peux te souvenir, mais de moi, lorsque tu m'as vu. Tu m'avais dit : « Je n'ai vu que tes yeux, au centre de l'amphi, les seuls vivants, les seuls qui me voyaient exister. C'était comme s'ils m'appelaient. »

J'ai besoin de te croire, aujourd'hui. À l'époque, cela me semblait trop beau pour être vrai. J'essaye de me mettre à ta place lorsque tu étais entrée par la porte de droite, je me souviens parfaitement la vue d'ensemble que tu as pu avoir — tant de fois la perspective de cette centaine de têtes émergeant des dossiers en rangées uniformes m'a donné le vertige ! — il ne m'est pas difficile, non, de laisser cette image remonter en moi, pas plus que de focaliser le centre et de m'y voir, me retournant par hasard en cet instant précis, mais la vision s'estompe dès que j'aperçois mon propre visage : tout se brouille alors, se ternit, tes traits remplacent les miens, je ne me souviens plus que de moi te regardant me regarder de cet œil noir, canaille sous la longue mèche qui traçait sur ta tempe et ta joue une courbe molle et caressante. Mais toi, toi, que voyais-tu en moi qui ait pu t'émouvoir ? Je me regarde en cet instant où tu ne peux plus me voir, sachant que ce n'est plus tout à fait le même visage d'il y a quinze ans, mais que tu le reconnaîtrais sans doute...

Pourrait-elle vraiment le reconnaître ?

La croisée entrouverte sur la nuit me renvoie un reflet suffisamment imprécis pour estomper les quelques rides naissantes, ces lignes amères qui partent du nez, ces pattes d'oie enjouées cicatrices du sourire, et je m'étonne comme d'habitude face à ce visage que je dois identifier mien. Mais il   m'est plus précieux cette nuit : c'est par ce visage que tu te souviens de moi, par lui, que tu avais aimé...

Alors pourquoi le grimer, me cacher derrière ce masque ? Fafou, c'est moi qui parle à travers cet homme, c'est de moi, non de lui que tu dois te souvenir ! Homme-plume, il ne sert qu'à te lancer dans un livre-bouteille à la mer, son visage n'est pas le mien, mais je suis là, me reconnais-tu ?

Je sais que les visages ne sont qu'écorces, mais ce sont les formes que nous avons aimées. Quel visage aurait-il, cet homme qui s'attarde à rêver sa première maîtresse en ce jeu narcissique où le reflet conduit à la mort ? Je le situe ici, pourtant, dans cet appartement où nous nous sommes aimées. Ici ? Non, plus bas, dans la cave, t'en souviens-tu ? Lorsque nous étions arrivées, ma sœur était avec des amis, et j'avais prétexté vouloir te montrer de vieux daguerréotypes... Dans la cave, oui. Et maintenant, cet autre-là, qui aurait pu t'aimer au grand jour, parle de son visage, alors que c'est le mien que tu aimais, quelle que soit la ressemblance qu'il puisse y avoir entre nous deux ! Pierre le gênait — moi aussi — mais c'est lui qui s'en est débarrassé d'un coup de plume.

Pierre, que nous avons abandonné sur la route, a déjà eu le temps d'arriver à Paris, d'entrer dans ce bistro, de demander un jeton à la caisse, Canadien s'émouvant de ces archaïsmes parisiens. L'écouteur à la main, il vient d'entendre les sonneries qu'il reconnaît bien... Et la voix de ta mère... Non.

Je reviens à toi, Fafou, le visage lavé, comme au premier jour. Je ne me cacherai plus. Je ne suis ni Pierre, ni cet autre, là, qui a feint d'être Pierre ou moi-même. Et pourtant, l'image est lancée, Pierre a reconnu la voix de ta mère. Il répète la scène que j'ai jouée avant lui : il se nomme, s'explique, demande de tes nouvelles... Sonde le malaise, à l'autre bout de la ligne, entend même ta mère demander à Cyril : « Va jouer dans l'autre pièce, veux-tu mon chéri ? », pense que ce n'est pas ainsi que l'on s'adresse à un garçon de quinze ans, redoute déjà les propos moralisateurs que ta mère pourrait lui tenir, maintenant qu'elle est seule avec lui, elle qui avait tout appris de votre liaison...

Mais c'est moi, moi seule qui peux entendre ces mots qui me glacent, ridicules dans leur formule désuète, impitoyables.

J'ai eu besoin de lui, pourtant, pour revivre cette scène, mais il peut me quitter maintenant. Je suis seule à présent, pour recevoir les paroles de cette femme vieillie, qui me glacent et m'exaucent, au-delà des années : « Elle vous a tellement aimée, si vous saviez ! » Sait-elle de quel amour ou l'a-t-elle oublié, elle qui maintenant, après m'avoir chassée de chez vous comme un démon, me demande aujourd'hui de retourner la voir ?

J'irai. Dans quelques jours, lorsque je serai capable d'affronter la rue, les marches, l'appartement que tu n'habites plus, j'irai ; mais auparavant, il faudra que je cherche de quel masque je dois me revêtir pour l'affronter. Ici, j'ai d'abord emprunté celui de Pierre et j'ai eu besoin d'une autre voix pour le démasquer, voix que j'ai cru être la mienne, jusqu'au premier accord masculin qui m'a échappé, contre lequel je n'ai pas résisté, par respect pour ta mémoire auprès de ta famille et de tous ceux qui ne pouvaient être au courant de notre amour. Faux respect qui me chasse de ta vie, m'estompe, comme un reflet délavé par les années ; après tout, ne sommes-nous pas un peu oubliées, toi dans ton mariage, moi dans le mien, à peine transposé ici ?

Ironiquement, c'est à ta mère que je dois de savoir que tu ne m'as jamais oubliée : « Elle nous a si souvent *parlé de vous, comment pourrais-je ne pas me souvenir ? »* Vous auriez pu, Madame, ne retenir de moi que l'épisode de cette lettre qui nous avait découvertes et soulevé votre colère. Mais non : depuis, votre indiscrétion — que je bénis aujourd'hui — vous a poussé à lire le journal de Fafou, mes lettres qu'elle avait conservées, à comprendre que notre amour n'était pas damné comme des poèmes vous l'ont fait croire, les fleurs du mâle n'ayant pas donné le bonheur à Fafou comme vous l'aviez innocemment cru, malgré l'enfant au nom de qui tout fut brisé, ravagé... *« Peut-être, disiez-vous encore, l'auriez-vous rendue plus heureuse, qui sait ? »* Qui sait ? Mots chuchotés, qui me reviennent par bribes, auxquels, sur le moment, je ne pouvais prêter attention...

Oui, j'ai besoin d'affronter tous mes masques avant d'aller la rencontrer. De tous mes masques, recomposer le mien d'alors, il y a quinze ans, pour pouvoir m'emparer de ce que nulle autre que moi doit entendre.

Flottent en moi, incohérentes, des images comme des feuilles mortes sur un lac. Et je suis tour à tour l'eau stagnante qui les porte, et les feuilles, toutes deux prisonnières des rives, figées pour l'éternité.

Pierre n'arrivera pas au but : c'est inutile. Et celui qui se contemple encore sur les vitres d'une fenêtre entrouverte sur la nuit restera là, à s'interroger sur son visage que tu n'as pas connu. Aucun des deux ne parviendra au but. Et moi, je sais aussi que j'ai failli au mien. *Entre ces pages, non écrites, des évocations de toi, images limpides, flottent comme les feuilles sur un lac, mais aucun mot n'a su les ressusciter.*

Mes subterfuges ne t'ont pas tirée de l'ombre où tu te terres, ne t'ont pas alertée, là où tu t'es cachée, ils n'ont fait que raviver ma propre angoisse. Ton image lumineuse, ton parfum, ta peau, la brillance de tes yeux noirs, tes lèvres, tout s'enlise en un fatras de poussière. Se peut-il que la mort soit cette conscience marécageuse, uniquement capable de contempler le passé qui se désagrège dans le néant du temps ?

Ce récit, entrepris dans le seul but de te faire revivre — mais est-ce revivre que de se voir condamnée à refaire des gestes anciens, comme une marionnette entre les mains d'une autre — ce récit ne peut aboutir qu'à la désespérante mais humble acceptation de ces mots de ta mère, au téléphone, que moi seule pouvais entendre :

« Fafou n'est plus de ce monde. »

LA NOYÉE

Pluies surplombant la mer, algues flottant à la dérive sur le visage de la noyée. À l'horizon, la côte argentée, le sable, les dunes... Elle nage, de ses membres souples de corps anéanti, avec l'élasticité visqueuse des squales. Les premières roches déchirent ses genoux. Elle se laisse glisser sur la pierre.

Nuit. Aux lueurs du phare, les fils de soie de la pluie. Sur la terrasse éclairée se dessine la silhouette familière qui l'attend. La noyée se redresse, secoue les algues qui couvrent son corps nu. Ses pieds s'enlisent. Elle sent un vide en son cœur. Elle marche vers cette femme, son amour, la devine. Elle veut l'appeler, mais aucun son ne sort de sa gorge. Elle sursaute, scrute la nuit. Elle ne peut voir ses yeux, mais elle s'en souvient : ils sont verts, fauves, fendus... A-t-elle aimé d'autres yeux que les siens ?

Sur la terrasse, Maud cherche toujours à percer l'obscurité, où elle a senti une présence. Elle l'attend toujours. Tant qu'on n'aura pas retrouvé son corps, elle l'espérera vivante, revenant vers elle.

La noyée ne la voit plus que confusément, comme à travers un brouillard. Elle pense que c'est précisément pour ses yeux bleus qu'elle... Bleus ? Non, verts ! Où a-t-elle la mémoire ? Non pas verts, mais bleus... Clairs, en tout cas. Si clairs, si doux, avec leurs reflets sombres... Noirs ? Non ! Verts, et translucides, comme les algues. La peur grandit en elle. Elle la distingue si mal, comme un mirage qui se dissipe ! Ses yeux, ses yeux, de quelle couleur étaient-ils ? Ce doute la déchire, la scinde en deux, l'une, morte, l'autre, encore vivante, l'une faite d'ombres, l'autre de souvenirs. Elle entend la voix de Maud comme un lointain murmure, croit reconnaître son nom. Elle voudrait lui répondre, l'appeler, mais elle n'a plus de voix. Cette voix, pourtant, qui descend vers elle ne parle qu'à celle qu'elle était, qu'elle est encore, puisqu'elle est revenue. Mais que lui dit-elle ? Il lui semble ne pas comprendre sa langue.

Est-ce donc cela, la mort ? Cette fumée d'oubli entre deux êtres qui se sont passionnément aimés ?

Elle veut s'éloigner, mais elle ne le peut pas ; l'entendre, mais elle ne la comprend pas ; l'étreindre, mais elle n'a plus de corps... Elle veut l'oublier tout à fait, mais Maud demeure, ombre confuse, tiraillement, absence irrémédiable. Sa voix devient une rumeur vague. Sa silhouette s'estompe doucement, mais la noyée la perçoit encore, en elle-même, précise comme un halo.

Le ciel d'un bleu profond, les étoiles scintillantes, la Croix du Sud, les trois palmiers sur la plage, le sable, les rochers, la mer derrière elle, et, devant elle, la maison aux murs blancs, aux volets verts, au toit rouge : elle perçoit tout avec la netteté du souvenir, tout, sauf cette femme tendue vers elle, qu'elle devine, mais qui s'évapore, disparaît. Elle sent que d'autres voix la sollicitent, interrogations et réponses où il est question d'elle, d'elle si proche de ces gens qu'elle ne voit pas, ne comprend pas, et qui entourent la femme pour laquelle elle est morte, qui pleure, l'attend, espère encore.

La noyée veut s'éloigner, rejoindre la mer, son seul domaine désormais, les ruines où son vrai corps est retenu, là-bas, au large, mais elle ne le peut plus. Elle comprend trop tard qu'elle hante ces lieux désormais, sans plus savoir pourquoi elle est revenue, ni vers quoi, ni vers qui. Sa mémoire se dissout, se dessèche comme l'algue échouée sur le sable, mais il lui reste, atroce, le sentiment de son absence, la conscience de sa mort, le poids du souvenir que les autres ont gardé, l'attente que l'on a d'elle, d'elle qui ne se souvient plus de personne, même pas d'elle-même...

LE PAYSAGE

C'est un paysage de dunes immenses, au sable fin et blanc et la route qui le traverse est souvent recouverte de nappes argentées qui scintillent au soleil. À droite, les dunes ondoient en une ligne descendante vers une plage profonde. Quelques rochers épars brisent son horizon, comme une mince jetée qui avance vers la mer. À gauche, les dunes se haussent et se garnissent progressivement d'herbes odorantes et de petites plantes aux feuilles feutrées, puis c'est la plaine de sable, à perte de vue.

J'ai souvent traversé ce paysage de bout du monde, où souffle un vent salin. Il y a longtemps de cela. La dernière fois, c'était il y a deux ans. Et pourtant, j'écris « il y a si longtemps », car à ce passage furtif d'il y a deux ans s'en superposent d'autres, plus anciens, remontant à mon enfance, et ces souvenirs-là prédominent, visions d'un paysage vierge, un paysage des premiers âges.

J'ai toujours eu la ridicule sensation d'exister

par ce paysage ou pour ce paysage ; ou encore, parce que ce paysage existe en ma mémoire et qu'il gonfle mon présent d'une certitude confuse, d'un contenu sans but... qu'en sais-je ?

C'est un paysage de dunes, au sable fin que les vents balaient sous un ciel plombé, aux nuages verdâtres, et les rares arbres qui rompent la ligne infinie de la plaine ont la pose figée des amants du grand vent.

Chaque fois que la vision s'impose, une âcre joie se mêle à l'oppression des nostalgies. Une joie si forte, une nostalgie si brûlante ! Et la certitude absurde que ce paysage m'est tout au monde, qu'il est le trésor palpitant de ma vie, le réservoir de mes forces, ma raison d'être, mon mystère, un des rares mystères de ma vie que je ne puisse élucider avec des mots.

Ai-je vécu là ma part de bonheur sur terre, une existence ancienne que le sort aurait brisée ? Non, je ne faisais que passer, en des moments tour à tour insignifiants, heureux ou malheureux. Ma demeure, loin de là, ne m'en donnait pas le spectacle quotidien. Je n'y ai pas vécu, non plus, des heures intenses de ma vie. Je n'y ai pas rencontré l'un de mes amours. Il ne s'est rien passé, en cet endroit, qui puisse expliquer cette intense joie, ni cette poignante nostalgie, chaque fois que son souvenir vient s'imposer à moi. Je ne saurais pas dire ce que ce paysage représente pour moi.

Quand je passais sur cette route entre les dunes de la plage et les dunes de la plaine, cinq ou six fois par été, je ne m'y arrêtais pas. Mais en le traversant, ce paysage me poignait déjà de cette âcre joie, comme si j'y avais des racines, comme si mon sort, irrémédiablement, lui était lié.

Ma vie pourtant lui fut lointaine. Au-delà des terres et des océans, j'ai bâti d'éphémères demeures, mais mon âme est demeurée là, en ce paysage de bout du monde, qui s'impose souvent à moi, si intensément qu'il semble que j'y suis transportée. Je sens le souffle salin me caresser les cheveux, l'odeur du sable, et des feuilles veloutées des dunes m'emplir, frémissantes.

Quand la vision s'efface, il me reste toujours la certitude d'un sens à ma vie, l'impression que, tant que ce paysage existera, j'aurai mes racines sur terre et la joie d'exister. Alors, les vapeurs de la nostalgie font place à la certitude que ma vie a un sens, qu'elle est habitée par cette présence du paysage. Mais après, la curiosité l'emporte et je me torture à la recherche d'un souvenir précis, concret, qui soit à l'origine de mon attraction pour ce paysage, qui explique son retour périodique et je saccage mon bonheur à force d'analyse. Je me barbouille de tristesse, du regret de ne pas être là-bas. Il me semble qu'une chance perdue erre dans le labyrinthe obscur de ma mémoire, qu'il est trop tard, que j'ai irrémédiablement perdu le bonheur de ma vie.

Il y a des êtres aussi qui me donnent cette âcre joie, cette navrante nostalgie. Des êtres, hélas, qui ne survivent qu'en ma mémoire, aux places lumineuses de l'amour et dont certains sont morts depuis longtemps déjà. Souvent, leur visage s'impose à moi, puis leur présence tout entière. Et je sais que, simplement parce qu'ils ont existé dans ma vie et que j'ai eu leur tendresse, ma vie est « investie » et la solitude n'a pas de place en moi, où rôdent mille présences. Et les mots « vifs » ou « morts » perdent leur sens.

L'une des plus impérieuses présences est celle de cette femme que j'ai jadis aimée, ou plutôt que j'aime encore d'un autre amour, mieux ancré dans la sève de mon esprit. Je n'ai plus besoin de l'évoquer pour qu'elle palpite en moi : sa présence est constante en ma mémoire, comme celle du paysage. À certains moments, son visage s'impose à moi de façon aussi vive que le paysage, comme si j'étais subitement transportée auprès d'elle, mais je n'ai pas besoin de ce souvenir plus aigu que les autres pour savoir sa présence immuable en moi.

Pourquoi l'ai-je associée au paysage ? Je ne sais. Aucun souvenir précis ne les rattache. Elle connaît, certes, ce coin du monde, puisqu'elle habite non loin de là, mais nous n'y sommes passées ensemble qu'une fois. Elle seule, cependant, a reçu la bizarre confidence de ma passion pour cet endroit.

* * *

Quelle tristesse morne est venue cette nuit s'emparer de moi, quel besoin d'écrire tout ceci qui ne doit être, au fond, que l'une de ces absurdes sensations envahissant un être aux heures crépusculaires de sa vie ? Je ne sais.

Goutte à goutte des scintillements me fuient. Tout ce que ma mémoire pouvait contenir de lumière et de vie s'estompe doucement, me quitte ; un besoin fou de revoir le paysage m'étreint, comme une fleur de granit.

Mais sa vision, chaotique, s'éparpille en fragments de dunes désassemblées, comme si le sable coulait au-dessus de l'image, en un gigantesque sablier. Rien n'est plus pénible que d'essayer d'assembler un souvenir qui vous abandonne. Tout s'efface, se redessine ailleurs, se dérobe, lorsque l'on tente d'y fixer un regard intérieur... on s'épuise à ce jeu de lignes évanescentes.

Je vais aller m'étendre, ayant l'absurde sensation qu'avec le paysage fuyant ma mémoire, c'est ma propre vie qui la quitte. Ma vie fuirait ma mémoire ! Image absurde... C'est la mémoire qui fuit la vie, lorsque rôde la mort. Dormir. Espérer que le paysage surgisse soudain du cœur d'un rêve et me redonne goût de vie.

* * *

Se reprochant des larmes qu'elle jugeait absurdes, mais qu'elle ne pouvait empêcher de couler, une femme, très loin de là, achevait une lettre par ces lignes :

« ... ce raz-de-marée, heureusement, n'a pas fait de victimes. Mais si tu voyais comme le paysage en est resté bouleversé ! Plus rien, sur la côte, ne ressemble à ce qui était. Je sais que cela te fera de la peine, car tu m'avais raconté combien ce paysage t'allait droit au cœur, comme si tu y avais des racines... J'ai hésité à te l'écrire, mais comme c'est l'événement de l'été, tôt ou tard, quelqu'un d'autre te l'aurait appris... Une lettre de toi me rassurera... »

Mais aucune lettre ne lui parvint jamais, aucune lettre ne put la rassurer. Car la nuit même du raz-de-marée, sur le lit, où elle s'abandonnait comme aux sables de ces lointaines dunes, elle était morte, déracinée.

LA PHOTOGRAPHIE

Il n'y avait pas de miroir dans sa chambre : il ne s'aimait pas. Pour se coiffer, il avait pris l'habitude de se regarder sur la vitre du portrait de l'enfant, les traits de la photographie masquant un peu les siens, ou s'y superposant, selon l'éclairage et l'accommodement de son regard.

Ce visage le consolait de sa laideur. Chaque fois qu'il le regardait, il s'émerveillait de se savoir le père d'un enfant si semblable à celui qu'il aurait voulu être lui-même.

Cette photographie était le seul ornement de sa chambre dénudée, aux ligne sobres, austères. Aussi son regard y revenait-il invariablement, surtout le soir, lorsque, lisant dans son fauteuil, il relevait les yeux chaque fois qu'il tournait une page de son livre. Et il s'y attardait avec tendresse, laissant son regard triste errer sur les traits de l'enfant qui n'existait plus, qui s'était dissipé dans l'homme qu'il était devenu, aux traits accusés, aux sourcils épais, aux joues à présent barbues ou rasées, selon ses caprices.

Antoine vivait seul. Sa femme était morte depuis de longues années, mais il s'était déjà senti trop vieux pour prendre une maîtresse. Guy, son fils, voyageait beaucoup, mais venait souvent le voir entre deux avions, deux départs, deux missions. Son métier lui servait de prétexte à rester célibataire. À mener joyeuse vie, espérait Antoine, qui trouvait le temps long, mais n'avait plus la force ni l'envie de reprendre la vie de bohème de sa jeunesse. Cardiaque, il se ménageait. Pourquoi ? Pour qui ? Il n'aurait su le dire. Par habitude de vivre, se disait-il, conscient de l'atrocité d'une telle pensée, d'une telle conception de l'existence. Trop raisonnable pour s'avouer que seule la photographie de son petit garçon lui tenait lieu d'amour, de plaisir, il se bornait à la contempler, de plus en plus longtemps, subissant l'étrange fascination, sans chercher à la comprendre.

Par contre, il réfléchissait souvent à ce mystère du changement des traits d'un enfant devenu homme, d'un homme devenu vieillard, ne pouvant s'empêcher de comparer Guy, lorsqu'il surgissait chez lui à l'improviste, au petit garçon de la photographie, se lamentant qu'il reste si peu de ressemblance entre les deux, sinon peut-être la forme des yeux, le sourire, et parfois, mais rarement, le regard, en des expressions fugitives d'amusement, de nostalgie. Si peu de choses, pour rappeler, dans le visage adulte, les traits de la photographie.

Antoine se demandait souvent, avec tristesse, pourquoi les fossettes du sourire avaient disparu des joues de son fils adulte, alors que celle du menton, contre laquelle Guy s'énervait en se rasant, se perdait si souvent dans les broussailles d'un collier de barbe... Plus que le vertige de la mort, l'avait toujours étreint la panique face au changement des vivants. Cet enfant, il l'avait aimé comme peu de père aiment leur fils. Il l'avait vu jour après jour, égal à lui-même, et pourtant, jour après jour, la lente transformation s'était opérée à l'insu de son regard. Seules des photos, regardées un jour distraitement, lui avaient montré la métamorphose qui s'était opérée en ce visage, si souvent scruté.

Il avait choisi cette photo. Il aurait pu en choisir une autre et il ne savait trop quelles raisons avaient dicté son choix. Pourquoi avoir choisi Guy à neuf ans plutôt qu'à cinq ans, ou à treize ans ? Sans doute parce que cette photo était rassurante.

Mais pourquoi, rassurante ? Non pas pour ces joues pleines, où l'on distinguait si bien les fossettes, ni pour les cheveux, dont on avait essayé de dompter les mèches courtes en les mouillant et les peignant, mais plutôt à cause de l'expression de grande gentillesse qui flottait sur son sourire asymétrique, qui retroussait la commissure gauche des lèvres en leur donnant un petit air moqueur, devenu ironique aujourd'hui ; à cause aussi de la candeur amusée du regard, sa profondeur aussi, qui lui faisait souvent interroger la photo, en quête d'un message que pourrait lui livrer cette image du passé. Il lui semblait alors que l'enfant le regardait, qu'à travers les années, il lui souriait avec tendresse, que rien, entre le moment de cette photo et aujourd'hui, ne s'était passé.

Dans ses instants de neurasthénie, qui devenaient de plus en plus fréquents, Antoine posait son livre sur ses genoux, observait le visage de son enfant, ne pensait à rien, mais se sentait apaisé.

Souvent, le dimanche, il s'attardait à faire sa raie droite, contemplant tantôt le visage de l'enfant, tantôt son propre reflet, tantôt la superposition des deux. Il ne pensait vraiment à rien, pas même à la ressemblance qu'il y avait dans la coupe de leurs yeux, ni à celle de la fossette sur le menton, ni aux fossettes des joues de sa femme, ni même à elle, qu'il avait beaucoup aimée. Il regardait, par habitude, par manie, par besoin, et se sentait heureux, comme d'un bien que personne n'aurait pu lui prendre. Les années fuyaient, le temps ne signifiait pas grand-chose. Qu'est-ce que le passage du temps, quand on s'ennuie ?

Et Antoine, qui n'avait plus d'amis, qui n'avait plus de famille, dont le travail était peu stimulant, n'avait pour toute compagnie quotidienne, en dehors du bureau, qu'un chat, des livres, sa pipe et la photo.

Les arrivées intempestives de son fils l'étonnaient toujours. Guy venait rarement seul — il s'ennuyait avec son père — mais tout aussi rarement avec la même femme, et sa gaieté tumultueuse autant que son visage adulte importunaient Antoine.

— Sacré bonhomme ! Tu ne vieillis plus ! disait Guy invariablement.

Et son père haussait les épaules. Que signifiait le temps ? C'était toujours par hasard qu'Antoine se regardait dans les miroirs, et c'était sans doute vrai qu'il ne vieillissait plus, mais comme les coups d'œil furtifs qu'il jetait à son image, en dehors de celle qui se reflétait sur la vitre de la photographie, le dérangeaient lorsqu'il les surprenait au miroir d'un lavabo public, d'une brasserie, ou dans une vitrine ; qu'il ne se reconnaissait pas, à ce reflet rose, à ce visage sans rides trop marquées, à ces cheveux presque blancs, il n'aurait su dire quel âge accusait sa physionomie ingrate. Oui, il se déplaisait. C'est sans doute pourquoi il avait toujours vécu dans l'étonnement l'amour que sa femme lui portait, comme un étrange don qu'il n'aurait pas mérité.

Par contre, ce visage d'enfant, immuable, le comblait esthétiquement. Il aurait aimé être cet enfant-là, ne plus grandir, garder, pour l'éternité, ce sourire plein de gentillesse, ce regard penché, ces fossettes sur la joue et le menton, pouvoir toujours attirer la tendresse émerveillée d'un regard, et puis mourir un jour sans avoir su qu'il grandissait.

Cela devint un vertige, au fil des jours et des semaines qui suivirent son soixantième anniversaire, des jours et des semaines dont rien ne comblait l'ennui. Sans trop s'en apercevoir d'abord, Antoine se mit à passer de plus en plus de temps devant le miroir qu'était la photographie de son enfant, jouant à superposer les reflets, à comparer les traits, mais sans pensée consciente d'aucune espèce. Il obéissait à une sorte de vertige, comme Narcisse penché sur les eaux de la mémoire. Et le petit Guy souriait avec amour à son vieil homme de père, un peu gâteux et ennuyeux sans doute, mais qui l'aimait tant qu'on pouvait lui pardonner. Il ne parlait jamais, et Antoine non plus, par ailleurs, ne lui avait jamais dit ces mots de tendresse qui se formulaient mentalement lorsqu'il regardait le petit garçon.

Un soir où l'insomnie l'empêchait de dormir, il se leva furtivement, marcha jusqu'au portrait. Il ne savait pourquoi, son cœur battait la chamade. Quelque chose de capital, semblait-il, allait se dérouler entre le visage de l'enfant et lui ; quelque chose qui aurait dû se passer il y a des années, qu'il avait pressenti, face à quoi il avait peureusement reculé.

Il posa les yeux sur le regard de l'enfant. Ce regard lui apparut plus étonné que d'habitude, comme s'il résistait à quelque chose. Antoine plissa les yeux. Il sourit, de ce même sourire malicieux de petit garçon.

Le vertige le saisit, comme un brouillard jaune. De petites étoiles de couleur, rouges, bleues, vertes, se mirent à danser devant sa vision. Mais son cœur, à présent, s'apaisait. Tout semblait rentrer dans l'ordre, les choses reprenaient leur cours normal. Ce visage vieilli qui se penchait sur lui, un instant, l'avait troublé, comme s'il avait voulu lui voler quelque chose. Maman lui avait toujours dit de se méfier des inconnus. Mais le visage de cet homme lui était familier, lui inspirait confiance. Il n'avait pas l'air d'un bohémien qui aurait voulu l'emporter loin de son père et de sa mère. Ses parents n'étaient pas assez riches pour qu'on puisse exiger d'eux une rançon... Le monde était étrange, mais les gens étaient gentils, amusants. Les grandes personnes, surtout, avec leurs idées étonnantes, qui préten-daient que les enfants grandissaient, que les vieux mouraient, ou même que certains enfants aussi pou-vaient mourir, disparaître à jamais, partir seuls quelque part, dans un endroit que personne ne connaissait, qu'on appelait la mort.

Comment auraient-ils fait pour trouver leur chemin tout seuls, se demandait Guy, mais un immense bien-être s'empara de lui, et il comprit qu'il pourrait le faire même sans que son père le prenne par la main, il pourrait le faire parce qu'il avait très envie d'aller retrouver sa mère, et que peut-être ce serait elle qui lui dirait comment la rejoindre, là où elle était.

De drôles d'images flottaient encore dans sa tête, à la façon des souvenirs, mais il ne se rappelait pas d'avoir vécu ces souvenirs-là. Il avait peut-être rêvé qu'il était pilote de ligne, comme son copain Gilles, mais il n'avait pas encore l'âge, il savait qu'il n'aurait jamais plus l'âge de conduire des avions, malgré toutes ces images incohérentes qui flottaient en lui comme des choses qu'il avait vécues, mais qu'il savait bien n'avoir pu vivre. L'une d'entre elles était plus drôle que toutes, c'était l'image d'un petit garçon, dont il aurait été le père, un vieux monsieur de plus de cinquante ans, aux cheveux presque blancs, pas très beau, mais gentil, et qui n'aimait pas se regarder dans les miroirs... Mais comment aurait-il pu être le père de quelqu'un, se demanda encore Antoine, puisqu'il avait neuf ans et qu'il allait partir pour la mort chercher sa maman, et qu'on lui avait bien dit que les petits garçons ne peuvent pas encore faire des enfants ? Il avait sous les yeux le visage d'un autre petit garçon, derrière une vitre, qui lui souriait gentiment, et qui lui ressemblait. Et la dernière question qu'Antoine s'était posée, avant de tomber hors du cadre — lequel des deux est caché derrière une vitre ? —, n'avait vraiment plus aucun sens, mais il était trop heureux de partir pour se demander pourquoi.

— Je ne sais pas pourquoi, racontait la concierge, en entendant ce grand cri dans l'appartement du dessus, j'ai pensé : « Le locataire est mort ! » Comme si je n'avais pas su que cet appartement était condamné depuis longtemps, et que la porte était sous scellés depuis bien avant mon arrivée ! N'empêche que les scellés n'y étaient plus, et c'est ce qui m'a fait peur lorsque je suis montée pour ouvrir la porte, parce que, enfin, je voulais en avoir le cœur net !

Le policier la regarda d'un air soupçonneux.

— Mais enfin, cet enfant, vous ne l'avez jamais vu ? demanda-t-il pour la troisième fois.

— Puisque je vous le dis ! se fâcha-t-elle. Tout ce que vous pouvez voir, je le vois aussi bien que vous : c'est le même que celui qui est photographié, là.

— Comment s'appelait le locataire de cet appartement ?

— Antoine. Il s'appelait Antoine, mais je n'ai jamais su son nom de famille, intervint un voisin qui logeait là depuis au moins vingt-cinq ans. On racontait qu'il était veuf, et que son petit garçon était mort peu de temps après sa mère, mais on n'a jamais su si c'était vrai. D'autres disaient qu'il avait un fils pilote de ligne, qui venait le voir de temps en temps. Moi-même, j'ai croisé une fois un grand gaillard en uniforme, mais allez savoir s'il allait voir Antoine ou d'autres locataires !

— C'était moi ! C'était moi quand je serai grand ! interrompit l'enfant qui commençait à trouver fastidieux tout cet interrogatoire.

— Ne dis pas d'idioties, répliqua le policier, et explique-moi plutôt comment tu as fait pour entrer dans cet appartement ?

— C'est chez mon papa, mentit l'enfant, sentant bien que c'était le seul moyen de leur faire comprendre quelque chose. Il s'appelait Antoine, mais il est mort aujourd'hui.

— Et toi, comment t'appelles-tu ?

— Moi, monsieur, je m'appelle Antoine aussi.

Puis il partit en courant, dévala les escaliers si vite qu'avant que le policier fût en bas, il avait déjà disparu. Et il demeura introuvable.

III

LES TEMPS SANS MÉMOIRE

JARDINS D'ENFANCES

Le temps se résorbe en ses grottes moussues, dont je perds rapidement de vue l'entrée, recouverte de lierres. Le temps se recroqueville dans une niche dissimulée au fond de la grotte. Je sais que le jour où j'en retrouverai le chemin, où j'en reprendrai la tranquille possession, le moindre remous fera surgir le temps de sa cachette, lui donnera de l'expansion, et le passé m'enveloppera de toutes parts. Mais ce silence opaque rend toute chose invisible.

Pourtant, je sais qu'autour de moi la vie grouille, que seuls mes sens engourdis m'empêchent de la percevoir et que ce sont ces sortes de voiles qui permettent aux vieillards ou aux agonisants de se retirer sans regret.

La mémoire de ma tante Pepa devait se frayer un passage à travers de tels voiles. Je me souviens de cet après-midi d'été, à Barcelone, où je suis restée seule avec elle jusqu'au crépuscule. Elle m'avait reçue en m'appelant Madame. Puis elle avait cru me reconnaître en me prenant pour mon frère, avant de retomber dans ce silence accompagné d'un bercement du buste, comme si elle avait été assise sur une chaise berçante, me regardant de temps à autre et me souriant d'un air absent. À quoi pensait-elle ? Mais pensait-elle vraiment ? Elle avait cent deux ans.

Soudain, une éclaircie lui faisait entrevoir les jardins philippins de son enfance, avec une netteté de détails qu'elle ne saurait jamais nous communiquer. Elle ne pouvait que murmurer, transportée : « Comme nous étions bien, aux Philippines ! » Mais nous ne verrons jamais les choses qu'elle revoyait à travers sa mémoire, nous ne faisons que répéter, avec des rires un peu lassés, les histoires, toujours les mêmes, qu'elle a racontées à quatre générations, toujours avec les mêmes mots, fixés par la tradition qui s'est instituée en sa mémoire, et que nous nous transmettons, avec un esprit de pieuse moquerie et de nostalgie d'une Histoire qui s'éteindra avec elle. Je regrette de ne pas l'avoir assez questionnée, à temps, pour pouvoir ajouter à ces histoires, stéréotypées par l'habitude et le grand âge, les détails qui nous manqueront à jamais pour reconstituer la vérité d'une vie : sa part de songe.

Ses souvenirs, qu'elle me contait lorsque j'étais enfant, semblent aussi m'appartenir. J'y ai projeté des images, j'ai fantasmé sur cette maison entourée d'une large véranda, rêvé de ce jardin, au bout duquel coulait une rivière où l'on trouvait des œufs étranges, rêvé de posséder un singe apprivoisé, un perroquet, auquel j'aurais appris des gros mots, comme Pepa le faisait. Je n'étais pas la seule à m'être approprié ces histoires. Maman, de sept ans sa cadette, mes cousins et leurs innombrables enfants et petits-enfants, mon frère et ma sœur ont entendu ces récits ; nous les connaissions tous par cœur, et je suppose qu'ils ont imaginé aussi les lieux, d'autres lieux que ceux que j'entrevoyais et qu'aucun ne correspondait aux vrais.

Lorsqu'elle racontait qu'elle avait trouvé des œufs sur la berge de la rivière, si beaux qu'elle les avait précieusement cachés dans le tiroir d'une commode où ils avaient éclos le lendemain, nous imaginions chacun une rivière, des berges, des commodes différentes. Peu importait au fond puisque le clou de son histoire, c'était la stupéfaction de son père, qui, en ouvrant le tiroir à la recherche d'un mouchoir, avait découvert de minuscules caïmans se traînant entre des coquilles brisées, sur ses mouchoirs salis. J'avais beau éclater de rire chaque fois, en imaginant la tête du quadragénaire moustachu, interloqué devant ce spectacle, j'en revenais toujours à la rivière, dont elle parlait en espagnol en disant *río*, mais je n'osais me représenter un fleuve, parce que ses eaux coulaient au fond du jardin familial. Rien, dans ses récits, n'autorisait cette interprétation. Et quand je lui ai posé la question, en cet après-midi où je l'ai vue pour la dernière fois, elle m'a regardée avec désolation, comme quelqu'un qui invoquerait en vain les images fuyantes d'un rêve : « Je ne me rappelle plus... » a-t-elle gémi. Un grand pan de sa vie venait de disparaître et c'est ainsi, par oublis successifs, que s'en va notre vie. Puis elle s'est perdue dans un de ses silences attentifs, plongés dans l'exploration du passé.

Soudain, comme quelqu'un qui se réveille en entendant un mot clé, elle reprit l'histoire que je venais d'évoquer : « Un matin, au bord du *río*, j'avais trouvé des œufs, si jolis, que je les ai rapportés à la maison... »

J'ai failli céder au plaisir de reprendre le récit à l'unisson, mais je me suis tue. C'était d'elle seule qu'une dernière fois, peut-être, je pourrais l'entendre, au cas où sa mémoire exhumerait un détail oublié.

Après le traditionnel : « Ay, ¿ *pero que es esto ?* a crié mon père », elle ajouta : « Ils étaient minuscules, pas plus longs qu'un doigt, mais comme ils ouvraient leurs petites gueules !

— Avaient-ils des dents, déjà ?

— Je crois bien ! Pointues comme des épingles ! Qu'en aura fait mon père ? Je ne m'en souviens pas... Que sont devenus les petits caïmans ? »

Elle me regardait fixement, égarée comme

l'enfant à qui l'on retire un jouet. Puis, soudain :
« Tu ne t'en souviens pas ? »

Comme si j'avais été là, avec elle, témoin de
son enfance ! Pour elle le temps ne signifiait plus
rien. Qui étais-je pour elle, à présent, après avoir
été une dame inconnue et un neveu absent ? Sa
sœur Rosario ? Sa belle-mère Clara ? Sa belle-tante
Micaela ?

— Tu dois t'en souvenir ! insista-t-elle sur un
ton si impérieux que je finis par répondre avec
assurance : « Il les a rapportés là où tu les avais
pris », parce que je croyais, en effet, avoir entendu
cet épilogue un jour, mais surtout pour qu'elle continue à croire qu'elle n'était pas la seule survivante
de cette époque, ceux et celles qui l'accompa-
gnaient étant morts depuis des décennies. Elle seule
survivait, allégrement, puisque de cette vie si
longue, souvent malheureuse, voire dramatique,
monotone et laborieuse, sa mémoire n'avait gardé
que les moments les plus heureux, les plus pitto-
resques, les plus saugrenus de son enfance aux
Philippines et de sa jeunesse à Barcelone.

— C'est bien, oui, murmura-t-elle, satisfaite.
C'était la seule chose qu'il pouvait faire. Pourtant,
je me souviens d'un petit caïman que je tenais en
laisse comme un chien...

Tiens ? Celle-là, je ne l'avais jamais entendue.
Je hasardai : « S'entendait-il bien avec le singe ? »

— Qu'elle était drôle, cette guenon ! Un jour,

je ne sais pas ce qui m'a pris, Rosario venait de finir son chignon et je lui ai dit : ¡ *Cúcale, mona* ! Et voilà qu'elle se jette sur la tête de Rosario pour lui chercher des poux ! Rosarito criait comme un diable. Papa est arrivé et a emporté la guenon... »

Mais comme celle-là, je la connaissais par cœur, j'insistai : « Le caïman s'entendait-il bien avec elle ?

— Le caïman ? Non, ma mère en avait très peur. Papa a dû aller le jeter dans la rivière. Je ne sais pas ce qu'il est devenu. Et toi, t'en souviens-tu ?

— Je n'étais pas là, Tita Pepa.

— Tu n'étais pas là ? Maman vivait encore. Et la guenon... la guenon, tu sais bien que c'est elle qui me l'a donnée.

— Ta mère ?

— Non, l'autre, tu sais bien.

— Clara ? Micaela ? »

Elle nia d'un geste, me regarda d'un œil impatient. J'étais au seuil d'un secret et j'insistai : « Quelle autre, alors ? », tout en rassemblant mes souvenirs. Mon grand-père était veuf : sa première femme et trois de ses enfants étaient morts lors d'une épidémie de fièvre jaune. Trois restaient : Rosario, Pepa, Manolo. Il épousa, un an après, ma grand-mère Clara, de vingt ans sa cadette ; sa sœur Micaela était à peine plus âgée que Rosario, adolescentes toutes deux. Maman naquit sur le bateau qui les éloignait des Philippines. Qui d'autre y avait-il dans le décor ? Quelle importance capitale ce détail prenait-il parce que ma tante me regardait, presque en colère ?

Dans les arcanes de la mémoire de cette très vieille dame que j'aime narcissiquement, enfant terrible de la famille, il y a mille secrets qu'elle a su préserver à travers tous ses bavardages. Toujours drôle et prête à faire le clown, la sacrilège qui est entrée dans une église maudire Dieu lorsque son gendre est mort, la petite fille à qui son père mettait du poivre dans la bouche parce qu'elle disait des gros mots, l'octogénaire qui le jour de la mort de sa sœur s'est écriée, en larmes : « Et après elle, ce sera mon tour ? Mais moi, je ne veux pas mourir ! » et qui, le soir de ses cent ans, a levé son verre en se souhaitant de vivre encore de longues années, cette tante dont je n'ai que des instantanés garde jalousement bien des secrets.

Elle était là, qui me dévisageait encore, lucide, j'en suis certaine, convaincue que je savais de quelle autre elle voulait parler, qui lui avait fait cadeau d'une guenon.

— Mais comment s'appelait-elle ? demanda-t-elle soudain et je perdis pied.

* * *

Dans ce jardin dont les allées sont ombragées par de grands arbres, marche une jeune femme en deuil, au visage voilé. Elle tient une ombrelle et soulève un peu la traîne de sa robe à laquelle s'accroche une main simiesque. Jamais personne ne la nomme. On la voit passer, c'est tout. Elle traverse le jardin, des berges sablonneuses de la rivière jusqu'à certaine porte-fenêtre de la véranda, frappe trois petits coups et s'engouffre dans la maison. Nous la regardons ressortir, parfois très vite, parfois longtemps après, toujours seule, avec sa guenon. Sauf ce jour-là.

Ce jour-là, je jouais dans le jardin et il pleuvait à verse, mais la pluie ne me traversait pas. Blottie sous la véranda, avec son perroquet, Pepa ne me voyait pas. Elle ne me voyait plus depuis quelques mois déjà. Quand la jeune femme est sortie, Pepita s'est cachée derrière l'angle de la maison, mais le perroquet s'est mis à crier : « Josefina ! Josefina ! » et aussitôt, l'endeuillée s'est retournée : « Oui ? » a-t-elle demandé à quelqu'un qui se tenait sur le pas de la porte. Moi seule l'ai vue. C'était notre mère, mais elle s'est vite rejetée en arrière, saisie d'un grand effroi, parce qu'elle m'avait aperçue.

Alors le perroquet courut vers la guenon et la guenon se dégagea d'une secousse de la main qui la tenait et ce furent les plus extraordinaires retrouvailles.

« Josefina ! Josefina ! » s'exclamait l'un, tandis que l'autre le prenait entre ses mains et caressait son pelage avec une douceur étonnante, l'attendrissement le plus humain se lisant dans ses yeux.

Pepita s'est alors avancée, hardiment :

— Donne-moi le singe, s'il te plaît !

D'un geste, la jeune femme y a consenti, puis elle a couru dans le jardin, non vers la rivière, mais vers la rue, où un fiacre l'a avalée.

Dans l'oubli s'est engouffrée la suite de cette histoire qui ne m'intéressait plus tellement. Au début j'avais trouvé très drôle de pouvoir me glisser partout et de tout voir, de faire des blagues à Pepa, comme abaisser des branches d'arbres sur son passage, lui défaire le nœud de son tablier, sans qu'elle puisse me voir, puis j'ai peu à peu exploré des espaces jadis interdits et découvert ma liberté nouvelle. Je me souviens vaguement de la mort de ma mère, peu après, de la jeune femme en deuil s'inclinant sur son lit. C'était le dernier lien qui me retenait dans cette grande maison triste.

Puis le temps s'est résorbé en des grottes moussues dont j'ai perdu de vue l'entrée, recouverte de lierres.

* * *

— Comment s'appelait-elle ?

Devant moi, une très vieille dame, dont les yeux verts se tournent vers un ailleurs effacé. La scène sans doute imaginée pour lui répondre, reconstituer la rencontre d'un perroquet et d'une guenon, s'estompe aussi. La vérité d'une vie, avec sa part de songe, reste insaisissable car ni le songe ni l'imaginaire ne tiennent compte de la réalité. De mes rêves éveillés, de ses souvenirs travestis, quelle est la part de mensonge ? Quelle importance, les rôles que nous avons joués en des ailleurs dont on perd la mémoire ?

Dans le jardin montévidéen de mon enfance, ma grand-mère m'avait un jour parlé d'une femme en deuil qui allait déposer des fleurs sur la tombe de la mère de Pepa, enterrée avec ses trois enfants à Manille. Cette image mystérieuse a sans doute frappé mon imagination. Nul ne savait qui elle était, ou ceux qui le savaient voulaient le taire. On a parlé d'une sœur adultérine, d'une sœur de lait, d'une amie d'enfance... Qu'importe au fond le lien qui liait ces deux femmes, la guenon léguée à l'enfant qui portait le même nom ? Dans la mémoire d'une centenaire, le mystère non résolu semble être un aiguillon de vie. Aussi me suis-je bien gardée d'évoquer cette scène, peut-être inventée. J'ai laissé ma vieille tante somnoler sur des souvenirs d'un jardin philippin auquel j'ai rêvé, dans le jardin uruguayen de l'une de mes enfances, où beaucoup de mystères aussi ont plané, que je me laisse le temps de résoudre.

MÉMOIRE DE L'AVENIR

L'enfant s'était tapi près de la bibliothèque et attendait que les intrus sortent, le cœur battant comme celui d'un oiseau pris au piège. Enfin, la porte se referma sur le bruissement des conversations mondaines, et il put commettre son larcin. Son père avait placé la clef de la vitrine au-dessus des livres d'Anatole France. Il eut quelque difficulté à la faire tourner dans la serrure. Le meuble était ancien et son parfum de santal, une fois la porte ouverte, le fit chavirer, comme d'habitude, en une ambiance mystérieuse. L'objet mis dans sa poche, il referma soigneusement la vitrine et monta quatre à quatre l'escalier.

Dans sa chambre, il put enfin regarder le daguerréotype tout à son aise. Il fallait que la lumière miroite selon certains angles sur l'image, alors le visage prenait un tel relief qu'on pouvait le croire vivant. C'était plus beau qu'une photo : des reflets verts cristallins jaillissaient au hasard de l'éclairage. Emmanuel était fasciné par le jeune homme qui lui ressemblait. Tout à l'heure, les invités qui l'avaient remarqué lui avaient à peine laissé voir le portrait, mais à présent, l'enfant pouvait s'approprier le personnage, et, face au miroir, se dessiner une petite moustache semblable à celle de son arrière-grand-père, prendre la pose du jeune officier, découvrir avec émerveillement cet ancêtre aussi jeune que son frère aîné. Et il ne détachait ses yeux du miroir que pour les poser sur les reflets verdoyants du daguerréotype, où l'on pouvait lire, en lettres calligraphiées : Manuel Sánchez Sevilla, 1858.

— Dis, maman, quel âge avait Manuel, sur la vieille photo ?

— Une vingtaine d'années. C'est le portrait qu'il avait envoyé à sa fiancée quand il avait été promu officier de marine et qu'il partait pour son premier tour du monde...

— Tu l'as connu ?

— Bien sûr, puisque c'était mon grand-père ! Mais c'était déjà un vieux monsieur à barbe blanche, tu sais.

— Raconte-moi quand il a fait la guerre du Chili !

— Eh bien, quand l'Espagne s'est portée à la rescousse des Boliviens à qui le Chili voulait voler ses territoires sur la mer, Manuel avait eu le commandement d'un navire de guerre...

Et la magie du récit enveloppa Emmanuel, mémoire au cœur d'un rêve.

* * *

C'était dans un port inconnu : le long des falaises que l'on apercevait du pont, des maisons pauvres en bois dégringolaient parmi les rochers gris. Des pélicans volaient çà et là en nuées s'abattant sur les voiliers qui entraient dans le port. Les hommes de la goélette les voyaient passer de fort près, rasant les mâts. Soudain, un officier avait crié « Regardez ! » en désignant, sur la rive, une immense statue menaçante, bloc massif sur lequel était taillé un visage grossier. Sa bouche, figée dans un cri silencieux, semblait vouloir happer les marins. Manuel lui-même, bien qu'il s'accrochât à la passerelle, était aspiré par cet abîme vertical, vers lequel il tombait, tombait, en tournoyant...

Emmanuel s'éveilla en tombant de son lit, enveloppé de sueur, mais sans vouloir chasser son rêve où rôdait encore une odeur de grand large. Il se répéta avec ravissement : « C'était Valparaíso », et une indicible nostalgie s'empara de lui. D'après ce qu'on lui avait raconté la veille, c'était au cours de ce premier combat naval que Manuel avait été fait prisonnier par les Chiliens. Oh, il avait été bien traité, puisqu'il était le capitaine ! Il avait pu jouer aux cartes avec les officiers et avait d'ailleurs perdu tout son argent, ses haras sévillans et ses propriétés en Espagne.

— Sans le jeu, don Manuel aurait pu être amiral. C'est le jeu qui l'a perdu et qui a failli lui coûter son titre de chevalier de l'Ordre de Malte... soupirait sa mère.

Emmanuel mettait sa cape de Zorro et paradait avec son épée contre un Chilien imaginaire : Moi, Manuel, chevalier de l'Ordre de Malte, je vous somme de vous rendre ! »

Les rêves d'Emmanuel densifiaient son sommeil d'étranges aventures. Cette nuit-là, il fut poursuivi par un Chilien qui voulait le prendre en otage. Manuel surgissait alors, avec sa grande cape noire sur laquelle était la croix de Malte.

— Comment était la croix ? demanda sa grand-mère lorsqu'il lui raconta son rêve.

— Blanche, carrée, avec une couronne dessus.

— Mais tu ne l'as jamais vue ! Comment peux-tu savoir ?

— Parce que je l'ai vue dans mon rêve, pardi ! Comment était la vraie ?

— Blanche, carrée, avec une couronne dorée dessus.

Au sommet de la branche flottait un drapeau sur lequel se détachait une croix de Malte. Sur le mur, Emmanuel avait écrit à la craie en grosses lettres « *La invencible armada* ». Il avait fallu, pour faire place à l'inscription, qu'il taille le sommet du massif d'asparagus qui couvrait le haut du mur et qui, de toute manière, gênait ses courses en enlaçant ses pieds de ses longs filaments couverts d'épines qui lui avaient coûté plus d'une chute. D'une branche du vieux mimosa flanqué contre le mur pendait une échelle de corde qu'Emmanuel empoigna en criant à tue-tête : « On les aura, les Cubains ! »

— Tu lui as raconté la guerre du Cuba ? demanda sa mère à sa grand-mère.

— Absolument pas. Et toi ?

— Je ne m'en souviens pas. C'est peut-être son père.

— Ce serait étonnant. Il trouve qu'on parle trop de Manuel. C'est pourtant Emmanuel qui pose toutes les questions depuis qu'il a découvert le daguerréotype...

— Je ne sais pas quel mal il y a à parler de mon père...

— Pourquoi ? intervient l'enfant. Il ne faut pas parler de ton père ?

— Emmanuel, tue tes Cubains tranquillement et laisse-nous parler en paix !

— Vous avez de ces façons de parler ! Pour que ces cochons d'Américains nous volent Cuba ensuite, tu parles si ça vaut la peine de se battre !

— Mais d'où sors-tu tout ça ?

— De ma tête, tiens !

— Et le nom du bateau qui est écrit sur le mur ?

— De ma tête aussi, pardi !

— Eh bien c'était le nom du bateau de ton arrière-grand-père. Ne me dis pas que tu ne le savais pas. Tu n'as pas pu l'inventer, tout de même !

— Pourquoi pas ? C'est un beau nom, vous ne trouvez pas ?

— Oui, un beau nom... Quand je l'ai vu entrer dans le port de Manille, j'ai cru que nous serions sauvés. Mais il n'était pas si invincible...

— Tu l'as vu ? Tu l'as vu, toi ? s'écria Emmanuel tout excité.

— Bien sûr, répond sa grand-mère avec un de ces regards qui se tournent vers le dedans, dans un de ces plis du passé où elle se réfugie souvent.

— Alors raconte-moi Manille, *abuelita* !

— Descends de ton arbre, je ne vais tout de même pas crier l'histoire sur tous les toits !

— Je descends de mon mât, riposta Emmanuel dignement et en quatre bonds il fut au pied des deux femmes. Alors ? Que faisais-tu à Manille ?

— Eh bien, nous y habitions tous. Les Philippines étaient espagnoles, comme Cuba. Manuel avait dû partir pour la guerre de Cuba et nous avait laissées seules, ma mère, ma sœur et moi.

— Toi aussi, maman ?

— Non, moi je suis née après, sur le bateau qui ramenait tout le monde en Espagne. Mais mon père, mon frère et mes sœurs y ont vécu aussi...

— Alors c'est là que tu as connu ton mari, *abuelita* ?

— Oui. J'avais dix-sept ans quand je l'ai rencontré. Je m'occupais de ses enfants...

— Il avait déjà des enfants avant d'être marié ? s'écria Emmanuel, épouvanté devant la révélation d'un grand-père fils-père.

— Mais non, idiot ! Il était veuf : une épouvantable épidémie de fièvre jaune avait emporté sa femme et ses deux aînés...

— En tout cas, ça t'a bien arrangée, puisque tu l'as épousé !

— Ne dis pas d'horreurs.

— Et tu étais déjà mariée avec lui lorsque maman est née sur le bateau ?

— Mais bien sûr, Emmanuel ! Comment veux-tu, sinon ?

— Et pourquoi es-tu née sur un bateau, maman ?

— Parce que c'était la reddition des Philippines. Les Américains avaient donné le choix à mon père de devenir américain ou de partir dans les quarante-huit heures.

— Il n'allait tout de même pas vendre sa nationalité ! s'exclama Emmanuel et les deux femmes se regardèrent, perplexes.

— Bon, alors maintenant, tu racontes et dans l'ordre !

Son ton péremptoire lui valut l'esquisse d'une gifle de la part de sa mère. Néanmoins, sa grand-mère s'exécuta :

— Aux Philippines, qui appartenaient donc à l'Espagne, depuis des siècles les Malais s'agitaient. Certains voulaient l'indépendance. Il s'ensuivit une guerre civile. Ton grand-père — mon mari — qui travaillait au ministère des Finances faisait partie d'une sorte de milice civile et il était armé, comme tout le monde, en attendant les renforts qui devaient venir d'Espagne, et qui sont d'ailleurs arrivés trop tard, puisque personne ne savait où donner de la tête entre la guerre de Cuba et celle des Philippines. Justement, mon père devait arriver avec la *Invencible armada*...

— Et tu l'attendais pour te marier ?

— Non, au contraire. C'est parce que mon père n'arrivait pas que nous avons décidé de nous marier. Un noble malais s'était amouraché de moi et comme je ne voulais pas l'épouser, il avait menacé de me faire enlever. Une fois que j'aurais été mariée à un autre, il n'aurait plus osé. De plus, ton grand-père veuf avait besoin de quelqu'un pour s'occuper des enfants en cette période où on ne pouvait faire confiance aux domestiques, qui étaient tous malais...

— Jolis prétextes pour ne pas attendre Manuel !

— Emmanuel !

Ce regard, maintenant étonné par le rappel à l'ordre, s'était durci sous des sourcils noirs et froncés, comme ceux du père arrivé trop tard. Et

124

c'étaient, soixante ans plus tard, les mêmes mots qui avaient été prononcés.

— Eh bien quoi, continue !

— Nous nous sommes mariés le 4 mai 1898 et c'était le jour qui avait été choisi pour brûler l'arsenal espagnol. Mais tu penses bien que nous n'en savions rien. La veille, il y avait eu une bataille sur la place principale de Manille et l'église avait été bombardée. Un pan de mur était à demi écroulé. C'était gai, comme décor ! Les vitraux étaient brisés, il y avait un courant d'air de tous les diables. Le vieux prêtre en pleurait ! Et, au beau milieu de la messe, voilà que des coups de feu éclatent sur la place, aux portes de l'église. Le curé a sauté tout le rituel pour enfin nous demander si nous nous acceptions pour époux ; à peine a-t-on eu le temps de répondre « oui, je le veux », que les balles se mettent à siffler à l'intérieur de l'église. Nous avons dû l'évacuer par la sacristie, qui donnait sur l'hôtel de ville. En guise de repas de noces, je donnais des munitions aux hommes qui tiraient des fenêtres afin de tenir à distance les assiégeants... Et c'est par la fenêtre, qui donnait sur le port, que mon mari, soudainement, se mit à crier : « Ton père ! ton père arrive ! » J'ai cru que les événements l'avaient rendu fou... Mais non c'était la *Invencible armada* qui arrivait... Quelle joie ! Nous pensions tous qu'il allait nous délivrer. D'ailleurs, à peine avait-il accosté qu'il faisait feu et envoyait une partie de ses troupes dégager la place...

Emmanuel, fasciné, écoute. Et dans le jardin du crépuscule, le pépiement des oiseaux lui apparaît lointain sous le vacarme de la canonnade, lointain comme si les oiseaux faisaient écho à d'autres pépiements en d'autres crépuscules dont il aurait perdu la mémoire. Il se sent plongé en une douce quiétude, comme au seuil du sommeil, tissée de la certitude, compacte et ténue à la fois, d'une présence viscéralement sienne, certitude de chair où il est bon de se vautrer comme en ces rêves denses qui semblent vouloir vous ensevelir ou vous libérer...

Il s'agite, ne voulant pas s'éveiller, essayant de toutes ses forces de revenir au calme du jardin crépusculaire, au pied de ses deux femmes qui lui sont un réconfort au milieu de cette odeur terrible de poudre ; il ferme les yeux aussi fort qu'il le peut, voulant se souvenir, au moins, s'ancrer dans cette mémoire qui le fuit, fugace...

En une nébuleuse lente où meurt le temps, Manuel replonge dans le souvenir qui est à la fois dédale et labyrinthe, où il s'égare en se retrouvant, Manille, Manille en flammes et les balcons qui tombent dans les rues, Manille, Manille qui tremble, secouée par un tremblement de terre, rues qui se crevassent, arbres qui s'abattent, bourrasques, et raz-de-marée qui se prépare, abandon des navires, ses filles ? où sont ses filles ? et sa femme ? Il faut arriver à la maison, coûte que coûte, à travers ces rues qui se lézardent, ces édifices qui s'écroulent... Il faut arriver... arriver jusqu'à la maison...

Manuel s'agite, c'est un rêve, un rêve affreux dont il faut se réveiller, Manille n'est pas en flammes, sa famille est en sécurité, tout y est encore calme, il ne cingle pas vers les Philippines qu'il vient de quitter, mais vers La Havane, avec toute une flottille, demain ils accosteront à Singapour, il se fait du souci, c'est tout, pour celles qu'il vient de quitter, il a fait un cauchemar, avec cette chaleur épouvantable dans sa cabine au hublot fermé, c'est bien naturel.

Le jour va se lever, il entrevoit les lueurs rosâtres à travers la vitre et se souvient des mêmes lueurs crépusculaires au fond d'un jardin, au pied d'un mimosa trapu et centenaire, mais ce rêve-là aussi se dissipe et la nébuleuse lente le happe, délaie ses souvenirs. Il est cet enfant qui galope sur la plaine sévillane, cet enfant qui écoute, aux pieds d'une vieille femme, qu'il a perdu ses haras au jeu à Valparaíso, où il est cet officier qui rampe sur la plage chilienne, vers Manille en flammes, vers ce jardin de Montevideo où on lui a prédit qu'à cause du jeu il ne deviendrait jamais amiral. C'est ce que l'on verra ! Il se battra comme il faut à La Havane. En attendant, c'est l'escale à Singapour. Et la nébuleuse lente éclate en froids cristaux, le rêve se rompt et, dans l'espace, tous ces êtres volent pour regagner leurs cases sur l'échiquier du temps où les guette l'oubli, comme un maléfice.

Quelle kyrielle d'étranges rêves, cette nuit ! Il n'aurait jamais dû goûter à cette drogue, confisquée à un marin. Le drôle d'enfant en culottes courtes et jambes nues ! L'étrange sexagénaire à barbe blanche courant dans Manille en folie ! Songes étranges et pourtant familiers, comme des velléités de la mémoire, alors que tout son avenir se déploie encore devant lui. Le temps déployé éclate, se rétracte et se recroqueville en un jour d'août 1858. Voilà plus d'un mois qu'il a quitté Cadix pour son premier grand voyage, et voilà qu'ils entreront aujourd'hui en rade du port de Singapour, son premier port d'Orient. Manuel Sánchez Sevilla a vingt ans, il se rase en pensant à la soirée qu'il passera à courir les bouges de la ville, au titre de lieutenant qui l'attend, à sa fiancée laissée en Espagne, aux voyages encore inconnus, à cet étrange enfant de son rêve et à la sensation d'éter-nité qui l'assaille dès que sa silhouette se dessine dans sa mémoire...

JE N'AI JAMAIS
EU DE MÉMOIRE

Quatre dossiers dans mon tiroir : « Inspirations subites et fragments » ; « Écritures à moi » ; « Contes et projets » — un bleu, un vert, un rouge ; et un beige à côté : « Projets d'articles. » Textes qui s'accumulent depuis deux ans : débuts de poèmes, phrases, récits interrompus, notes, idées, bribes de journal intime, lettres inachevées, cris de rage, planification de mon temps. La fiction, la réalité et le désir se mêlent.

Ma vie est tout aussi fragmentaire. Transpositions plus ou moins évidentes de mon existence, pures intrigues imaginaires, tout se confond. Cimetières, ces dossiers. Ou plutôt, dépôts de vies larvées, de possibles qui ne seront pas, pas encore, faute de temps.

Tant de fragments-trappes où je m'enlise, où je m'englue, qui me happent irrésistiblement. Surnage la mauvaise conscience de prendre mon temps, alors que d'autres échéances m'attendent, plus urgentes que ce besoin de me relire, de relier par le mince fil d'Ariane toutes ces avenues tracées, disparates, qui ne semblent conduire vers aucun centre dans ce labyrinthe désespérant tracé sans aucun plan, au hasard des inspirations subites, des contes et projets et autres « écritures à moi », entrecoupés de cours à préparer et d'articles journalistiques.

Le centre : moi, sans doute. Mais laquelle ? Jeu de prénoms fictifs derrière lesquels je me cache et me dévoile, ou m'oublie selon les distractions de mon écriture qui se relâche : infinie distance de moi à moi, tellement abyssale que je suis incapable de la franchir, à cause d'un simple détail, introduit par simple fantaisie. Il reste un songe, là, fragmentaire et total, né de cette phrase énorme, obsédante, qui ne cesse de s'infiltrer en divers textes, poèmes et récits : « En une nébuleuse lente où meurt le temps. » Énorme, parce que je viens seulement d'en induire le sens, dans sa banale et terrifiante réalité. C'est dans cette nébuleuse perçue comme l'œil d'un cyclone — de sable et non de vent — que je me suis sentie happée, le jour de ma première mort. Le temps y mourait, en effet, puisque la vie perdue allait dissoudre l'instant, permettre le temps absolu ou le néant, ces synonymes.

Et cet autre rêve, dont je m'éveille à peine : un petit garçon dans la bibliothèque de mon père, fasciné par un daguerréotype verdi dont les jeux de lumière lui renvoient le visage d'un jeune homme en uniforme d'officier de marine qui lui ressemble étrangement. Mais ce n'est pas un rêve, c'est un souvenir travesti en un conte de jeunesse, dont je dois garder, dans quelque dossier, les feuillets fatigués. J'ai appelé cet enfant Emmanuel et, bien que je sache qu'il est moi, depuis que je lui ai donné un nom je le vois autre, se détachant de moi et je rêve à lui parfois. Se superpose à cette scène un autre rêve : sables qui s'effondrent en une avalanche ralentie, sous forme de nébuleuse, mais de nébuleuse expulsée, exsudante et non pas absorbante ; le contraire de la mort, en somme, la restitution de la vie. Sables aux couleurs ambres et mauves, ocres, fauves qui se résorbent en quelque faille souterraine, faisant naître un ruisseau cristallin dont Emmanuel dit : « Ce sont les eaux du Léthé. » Sables du temps. Dans cette nuit distendue, l'horreur de la mort se dissipe. J'enfreins la mémoire.

Affronter le jour. Prosaïque existence dont les rêves ne me délivrent pas et qui ne me délivrent pas des songes. Gestes quotidiens, toujours dans le même ordre : le café, la douche, l'eau de Cologne, les vêtements que l'on enfile, le journal, enfin, sur le pas de la porte, le fauteuil et le deuxième café avec la première cigarette pour le lire. Et soudain, ce drôle de malaise en lisant une entrevue avec Danielle Castille, exploratrice et archéologue, qui justifie son refus de se laisser photographier par cette phrase absurde : « Je n'ai jamais eu de visage. » C'est ainsi que commençait un de mes poèmes, se poursuivant par : ... « mes traits sont de sable et d'eau », expression qui me troublait déjà, que je ne comprenais pas, mais qui aujourd'hui me bouleverse, reprise par cette inconnue. Et le journaliste écrit : « Et pourtant, Danielle Castille est très belle et le *mantón* de Manille qui la recouvre sied admirablement à son teint mat. » Je hausse les épaules devant ce châle ridicule pour donner une entrevue.

« Ils n'auront pas Manille ! » crie Emmanuel sur son mimosa perché. Décidément, je n'arrive pas à me dégager de l'ambiance de ce rêve. Il y a si longtemps que ce conte a été écrit que je ne me souviens pas des détails. Je lui avais donné, je crois, le nom d'Emmanuel de Castilla, du nom — raccourci — de mon grand-père. Danielle Castille, tirée vive de l'actualité, porte un ridicule *mantón* de Manille, pour me faire sans doute un clin d'œil. L'analogie me dérange.

Pourquoi n'avoir retenu de mon grand-père que la deuxième partie de son nom qu'il avait été le premier à supprimer, avec son titre de marquis ? Par snobisme ? Par facilité ? Ce sont là des détails dérisoires qui, un jour, créent des distances infranchissables entre les personnages et moi. Vérifions : vieux dossier, au fond d'un classeur, pages défraîchies qui me rappellent un passé heureux que je voudrais revivre.

« C'était dans un port inconnu... sans le jeu, il aurait pu devenir amiral... Moi, Manuel Sánchez Sevilla, chevalier de Malte, je vous somme de vous rendre ! »

Quoi ? En ce récit j'avais délibérément combiné le nom de deux hommes qui s'aimaient si peu ! Manuel, mon grand-père, et Daniel, mon arrière-grand-père, le gendre et le beau-père, le père de ma mère et celui de ma grand-mère. Tout les opposait et moi, j'ai donné à l'un le nom de l'autre, auquel je prête les aventures et le titre du premier !

Manuel Gonzalez-Caballos de Castilla, franc-maçon, démocrate et républicain, qui avait vendu son titre de marquis pour pouvoir payer ses études de médecine, mais n'avait pas pu exercer, n'ayant plus l'argent pour s'acheter le diplôme qui se vendait fort cher à l'époque, était devenu fonctionnaire au ministère des Finances ; il avait été rapatrié après la perte des Philippines et il était mort pauvre, ayant dû recommencer sa carrière à partir de zéro, dans cette débâcle de fonctionnaires qui revenaient en Espagne après l'indépendance des Philippines et de Cuba.

Daniel Sánchez Sevilla, capitaine de frégate, royaliste, bien que roturier de naissance, chevalier du très papiste ordre des Chevaliers de Malte, fait prisonnier à Saint-Domingue, libéré, fait prisonnier à Valparaíso où il se ruinait au jeu, revenu en Espagne pour liquider ses dettes et accepter un poste à Manille, où il s'installait avec sa femme et ses filles, au début des révoltes philippines, refusant la main de sa fille Clara à don Manuel, honnête veuf fonctionnaire, pour la promettre à un noble malais qui roulait sur l'or et sur le corps de trois concubines officielles...

Manuel, qui avait refusé de prendre la nationalité américaine pour préserver ses placements, Daniel, qui vendait sa fille à l'ennemi pour refaire sa fortune perdue au jeu. L'un franc-maçon, l'autre chevalier de Malte : oui, tout les opposait et la haine et leurs idéaux contraires. Mais ces deux destins m'avaient fascinée : prestige des titres et des noms qui claquent, de l'exotisme, aussi : Manille, Valparaíso, marquis, capitaine, chevalier, franc-maçon, goélette, frégate... Daniel, dans son uniforme verdi par les reflets du daguerréotype dans la vitrine de Montevideo, qui sent le bois précieux, d'où surgit ma nostalgie. Sauf Manille, j'ai par la suite connu la plupart des lieux d'accostage de Daniel et chaque fois rêvé à ces deux destins qui se mélangent, aujourd'hui, en mon sang : ceux de deux hommes que tout opposait.

Manuel mourait usé et désabusé à 56 ans, lorsque maman n'en avait que 18 ; Daniel, ruiné, mais oisif, mourait à 98 ans, n'ayant qu'un seul regret : celui de n'avoir pu léguer son titre de chevalier à son arrière-petit-fils, mon frère, qui n'avait pas encore l'âge de raison...

En quel délire idiot ai-je confondu deux noms, deux hommes, et presque deux histoires en un conte adolescent, où j'essayais de transcrire mes jeux d'enfance et mes fantasmes de réincarnation ? Et que vient me dire ici Danielle Castille, surgie du journal, avec son ridicule *mantón* de Manille, clin d'œil qui me rappelle à l'ordre et à la vérité historique servant de genèse à mes contes de jeunesse ? Je ne sais. Existe-t-elle vraiment ? L'absence de photo la plonge dans l'irréalité. « Je n'ai jamais eu de visage » : cette phrase empruntée à mon poème me trouble profondément. Hasard ? Existe-t-elle ? Être l'objet d'une entrevue dans le journal — le journaliste étant ici témoin — devrait être une garantie suffisante d'existence. Je devrais le savoir, étant journaliste moi-même. À moins d'un canular ? Il suffirait que je passe un coup de fil à mon collègue et que je lui demande, quitte à passer pour folle... Qui donc signe cette entrevue ?

Quoi ? Non, c'est absurde, ils se sont trompés, ce n'est pas possible, je m'en souviendrais. Je ne bois pas, je ne fume pas de marijuana, je ne me pique pas, je suis un peu piquée certes, mais pas à ce point, tout de même ! C'est une erreur, une blague idiote ! Moi qui ai la déplorable habitude — que certains magazines féminins m'ont d'ailleurs reproché — de faire lire à mes interviewés leurs propos que j'ai recueillis pour être sûre de ne pas trahir leur pensée !

135

Sonneries qui fusent à vide, énervantes et m'énervant inutilement : c'est aujourd'hui dimanche, ils seront là cet après-midi pour l'édition de lundi. Je n'ai jamais signé cette entrevue. Ou alors quelqu'un l'a signée à ma place. Mais pourquoi ? En tout cas, je n'ai jamais écrit cet article. Ni vu Danielle Castille. Même si elle a le prénom de mon arrière-grand-père et le patronyme de mon grand-père, francisés. Je n'ai jamais entendu parler d'elle ! C'est une erreur. Hausser les épaules, me dire que c'est sans importance. Mais y arriverai-je ?

Heures perdues dans l'agitation vaine des rangements, des relectures : papiers, dossiers, classeurs, livres, prospectus, écritures, articles, tiroirs, rayonnages qui se multiplient, qui grimpent à l'assaut des murs, se resserrent autour de moi, univers concentrationnaire, coloré, désordonné qui fatigue la vue et la mémoire. Escamoter tout cela qui me distrait, ranger, trier, classer, jeter ces papiers qui s'accumulent, dans lesquels je ne me retrouve jamais. Trop de choses différentes dans mon bureau et dans ma vie : mon cerveau saute de l'une à l'autre, morcelé. La fiction, le projet et la réalité se mêlent. Danielle Castille existe-t-elle ? Jeu de prénoms fictifs derrière lesquels je me cache, me dévoile et m'oublie selon les distractions de mon écriture qui passe d'un texte à l'autre. Est-ce possible ? L'aurais-je inventée ? Ou aurais-je livré, par erreur, une entrevue imaginaire à la place du texte commandé ? Que devais-je rendre à *Presse-Plus*, la semaine dernière ? Un reportage sur les relations interethniques. Aucun rapport avec cette archéologue en *mantón* de Manille que je ne me souviens pas d'avoir inventée ! L'article, d'ailleurs, est en bonne place. Je l'ai remis à temps.

« En une nébuleuse lente où meurt le temps, Daniel... » Non, Manuel dans le texte. Et je m'appelle Emmanuelle. Cet autre prénom, féminisé : Danielle. Et ce patronyme, francisé : Castille. Ce nom. Ces noms. Le mien. Le sien. Et cet autre nom : Manille. Et cette phrase : « Je n'ai jamais eu de visage... »

Oui : je l'ai inventée, synthèse de ces deux aïeuls que j'ai étourdiment synthétisés dans ces récits de métempsycoses... Volupté de l'écriture où je me suis tant de fois plongée que j'en perds la mémoire. La mémoire ! Volupté qui me sauve du non-être. Ou de l'être ? Qui me sauve de l'être. Qui suis-je ? Nulle certitude. Préférable, cette incertitude, à d'abominables découvertes ? Quelle conscience, dont nulle ruse ne me délivre ? Quel poème, dont seule me sauve l'image elliptique, libre de flotter au niveau de la musique ou d'accéder à moi, bulle libérée de la gangue, parvenue à la surface, libérée du chatoiement des mots. Séduction des images. En dépit de tout sens. De tout bon sens. L'imposture du verbe me paralyse, comme un sacrilège immense qui pourrait corrompre ma vie. Cette histoire d'article me rend folle.

Dieux ! Pour des centaines de lectrices et de

lecteurs, maintenant, elle vit ! **Elle vit**. Et moi, je nage en pleine imposture.

Imposture qui, sitôt découverte, me coûtera mon emploi, ma carte de presse et me laissera livrée à la création, coupée de la réalité ou confrontée à son aspect le plus rebutant : la pauvreté. Cette vacance du temps me livrera à l'écriture, au vertige, à moi-même, sans cette excuse toujours avancée de ne pas avoir le temps. Pour fuir. Qui ? Ou quoi ?

Pas la moindre trace d'une quelconque Danielle dans ces ébauches : de quel besoin serait-elle née, sous quelle forme première à travers tant de phrases et de rêves, sans que j'en aie conscience, pour que son nom vienne me frapper de plein fouet ce matin ? Danielle, exploratrice, archéologue, comme j'ai rêvé de l'être, quelles ruines découvres-tu ? Ruines étranges, en réalité, que ma mémoire érode. Cathédrales enfouies sur lesquelles j'ai bâti mes temples et mes idoles, temples renversés et idoles détruites, aux feux verts de la nuit.

LES TEMPS SANS MÉMOIRE

Je ne sais plus très bien quand tout a commencé. Sans doute à ma naissance, puisque toute
mort naît de la vie. Non : ce sont là jeux de mots
faciles. Je dois apprendre à me méfier de ces images,
qui créent des labyrinthes infinis où ma mémoire
s'égare à la recherche d'elle-même et du temps, sous
les décombres des jours.

Ma vie, hémorragie du rêve lent qui coule et se
métamorphose, en cette suite saccagée de gestes et
de paroles, où se noie la pensée, où s'asphyxie le
songe. Hier. *Hiere* : blesse. Hier, oui, m'est blessure.
Trop de possibles s'y sont perdus, délayés par l'oubli.
Comme il suffirait de peu, pourtant, pour retrouver
la mémoire. Cette tiédeur moite de l'air, aujour-
d'hui, sensation de déjà vécu... La mémoire du
corps, abyssale comme le silence.

Où ? Quand ? Quoi ? Qui ? Que s'est-il passé,
avant que le remous m'ait happée, engloutie, ne me
laissant que ce fil ténu de l'impression qui se brise

au moindre mot, ces images floues, libérées par cette humidité de l'air, ce gris léger du ciel, prémisses de l'orage ?

Amoureuse de ma vie, Narcisse penchée vers les eaux de mémoire où dérivent des fantômes de moi-même et des autres, fuyants comme l'eau des rivières, je sens périodiquement cet irrésistible appel du passé qui m'est interdit — mais par quel obscur tabou ?

Dans l'incessant mirage des jours, il suffit d'un miroir pour apprivoiser les ombres. Essayons.

Je suis là, moi, reflet. Mes yeux me regardent, traversent les espaces étonnants de mille vies, du temps, échappée vers l'absolu. Je suis projetée hors de moi, en moi conquise. Tout retenir, tout exhumer, nommer, pour que cela surgisse du néant. Je ferai plus tard le tri entre le songe et le souvenir, mais pour l'instant, tout saisir, l'illusoire et le vrai, impossibles à distinguer encore.

* * *

Entre les deux ensembles de pyramides, à Palenque, il y a un petit canal étroit, dont la fraîcheur de l'eau est étonnante et le courant, rapide. Pour qu'il ne m'emporte pas, je m'accroche à... une branche ? Mais il n'y a pas d'arbres ! Des roseaux ? Y avait-il des roseaux ?

Une voix m'appelle, que je reconnais, comme je reconnais mon nom. Je ne peux y répondre, béatement enfoncée dans la fraîcheur de cette eau... Un visage, enfin, va se pencher vers moi, qui me donnera, peut-être, la clé de ce qui m'entoure... J'ai découvert un jour que, en marge de tout rêve, dans ce champ d'événements que nous avons pris l'habitude de nommer réalité, cette femme serait à jamais inaccessible pour moi. La douleur est restée longtemps dans mon esprit, tournoyant follement, jusqu'au vertige. Les vastes pans de rêves qui la contenaient se sont engloutis avec tous les fantasmes... mais quelle part de moi disparaissait avec eux ?

* * *

Un jeune soldat brun, à la moustache brève, transi sous sa veste d'uniforme. Teinte sépia, photographie ancienne, jeune homme au visage familier, figé sur le papier. Comment puis-je savoir qu'il a si froid ? Nul geste ne le trahit. J'ai conscience de lui, qui ne peut plus me répondre. Son regard, du fond du siècle, se pose sur le mien, qui l'interroge depuis toujours. Qui m'est-il ? Et qui suis-je ? J'aime ce regard qui me fixe, triste, mais sans angoisse, ces yeux qui ressemblent aux miens, qui ne s'ouvriront plus jamais pour se reposer sur moi n'existant pas encore, ces yeux qui regardaient un avenir immédiat, les tranchées, Verdun, la fin de la guerre, une femme aimée peut-être... Mais les pensées de ce jeune homme sont à jamais perdues pour moi. Et pourtant, je n'ai nul autre visage que le sien dans ma conscience, nul autre visage que celui-là que l'on me condamne à contempler, et j'ai beau pressentir qu'il est peut-être celui de qui deviendra mon père, il ne l'est pas encore, puisque je n'existe toujours pas...

* * *

Murs blancs, sans même un crucifix. C'est là mon sacrilège, qui rend inutile cette cellule aux murs nus. Mes yeux se ferment sur un paysage à peine plus gris que ce monastère moderne plongé dans le silence à la tombée du soir.

Une femme, touriste dans le flot, ce matin, s'est attardée sous la grande coupole du mausolée, tête penchée sur la dalle de marbre où gisent, pêle-mêle, communistes et franquistes. Sous son foulard moiré, quelques mèches argentées. *Mater dolorosa*, revenue dans mon rêve : j'ai compris que ses fils peut-être, jadis frères, jadis adversaires, comme ceux de tant de familles d'Espagne, se décomposent là. Dans mon rêve, ses yeux noisette, sous les sourcils blancs, se sont levés sur moi. Interrogation muette : « Et vous, pour qui vous battiez-vous ? »

Moi, je ne me suis pas battu, Madame. J'étais déjà dans un monastère, quelque part en Castille, délabré par les vents. J'étais très jeune, inculte et pur. Je priais lâchement Dieu pour qu'il reconnaisse les siens dans le carnage, en lui laissant le choix :

républicains, franquistes, carlistes ou bourbons... Ils gisent tous là, à présent, sous cette dalle de marbre que je fais polir chaque matin, ceux qui se sont entretués pour la grandeur de l'Espagne que chacun portait en son cœur et qui n'était pas la même pour chacun... De votre chair issus, Madame, vos trois fils, trois rêves contradictoires... De combien de morts, de mots, les hommes ont-ils appris à s'entretuer, au nom de combien d'idéaux, leurs prétextes à sanctifier leurs instincts destructeurs ?

* * *

J'ai lâché la pierre à laquelle je m'accrochais, le courant du petit canal m'emporte, et je dérive entre les ruines, les yeux fixés sur le ciel bleu, traversé soudain par le sommet de la grande pyramide, je dérive dans le silence que la phrase d'un Parisien brise soudain : « Sans blagues ? Vous êtes venue de Montréal, toute seule, en voiture ? » J'ai envie de répondre, de crier que nous étions deux, que le visage de l'autre, d'une minute à l'autre, émergera de l'eau du petit canal ou se penchera sur moi, qui dérive... Mais qui est l'autre, puisque je ne suis pas Narcisse, ni quelque reflet, mais l'un des visages qu'il traque, un des reflets possibles, à la dérive des eaux...

Je n'ai de souvenir que de Palenque, comme si toute mon histoire se réduisait à cette visite des ruines... sans passé, ni avenir. À moins que le visage attendu se penche vers l'eau du petit canal où je flotte, se penche et se reconnaisse, veuille bien me repêcher, m'investir, m'habiter de sa vie, me donner quelque amour et quelque devenir...

Elle écrivait, je crois. Je ne sais d'elle que ma passion qui m'appartient essentiellement. Je ne sais rien d'elle, au fond. Mais comment puis-je savoir qu'elle avait rêvé passionnément de ma passion ? M'a-t-elle condamnée aux limbes du non-être parce qu'elle ne m'aimait pas ? M'abandonner, dormir, rêver, peut-être, si le rêve est permis à celles que le songe abandonne.

* * *

Songes, autant d'ébauches que la vie ne me rendra pas. Deviendrais-je folle ? Je sais que ce ne sont pas là des souvenirs, que je n'ai jamais été à Palenque, ni moine dans un monastère castillan, ni fille de soldat... À moins qu'en cette zone interdite de l'oubli ? Ah ! Faire la part des rêves et de la vie, des projets et récits qui... Des récits ?

« Rien n'est gratuit, crie maintenant cette femme éprise, à travers des parois de plus en plus minces, aucun rêve, aucun désir, aucun projet ! Tu nous a donné vie. De quel droit nous abandonnes-tu, ébauches ? Ton regard et tes songes ont figé fantômes et fantasmes dans tes propres sargasses. Empoigne-les, à présent, ou détourne les yeux, que nous puissions vivre tes rêves dédaignés, ceux que tu n'as pas le courage de vivre ou de mener de front. »

« Empoigne-les » crie-t-elle, mais comment empoigner ces ombres qui n'ont jamais existé, sinon en reprenant le cours de leurs vies, telles qu'à travers des rêves je les ai fixées, mon âme éparpillée entre elles, exploratrices, moines, amoureuses, et dont je dois endosser l'existence. Vivre le rêve et non plus l'écrire, sauver Palenque de la noyade, veiller sur le charnier des morts d'Espagne, aimer cette inconnue qui... Non, je m'égare : elle n'existe pas et c'est moi qu'elle aime, cette autre moi-même. Eh bien oui, soit, pourquoi pas, m'aimer, vivre et retrouver mon âme éparpillée entre les mille êtres que je suis, contradictoire, multiple, composée de tant de possibles qu'il suffit patiemment de les endosser tous, l'un après l'autre.

C'est peut-être là le seul secret de l'immortalité, une soif inépuisable de vivre, jusqu'à la démesure ?

JUSTIFICATIFS

La plupart des textes qui composent ce recueil ont fait l'objet, dans une forme parfois un peu différente, d'une publication ou d'une diffusion antérieures.

« Je multiple », *Mœbius*, printemps 1992, n° 52.
« Le ruban de Mœbius », *Arcade*, octobre 1989, n° 18.
« La noyée », *Ruptures*, octobre 1993, n° 4.
« Le personnage », *Les Cahiers bleus*, Troyes, 2ᵉ trimestre 1984, n° 31.
« Le paysage », *Les Cahiers bleus*, Troyes, 4ᵉ trimestre 1986, n° 38.
« Jardins d'enfances », *Possibles*, printemps 1993, vol. 17, n° 2.
« Les temps sans mémoire », *Trois*, vol. 2, n° 1.

TABLE

Typographie et mise en pages :
Les Éditions du Boréal

Achevé d'imprimer en septembre 1994
sur les presses des Ateliers graphiques
Marc Veilleux, à Cap Saint-Ignace, Québec